[illegible]見地方の神と人

平賀英一郎

目次

なつかしい村 ―松尾幽蘭と江戸晩期の村の文芸文化―

一

上村に「松尾のおじさん」という人がいて、ときどきうちを訪ねて来ていた。親戚だとは聞いていたが、どういう続柄か知らなかった。最近ようやく祖母のいとこ(祖母の父の甥)だと知った。名前が久朗であることも。

記憶の中の顔立ちはもはやはっきりしないが、チョビ髭を生やしていたように覚えている。そのためか、ちょっと怖い感じがした。上村の人は「孤高の人」だったと言っている。若いころ離婚してからずっと独身だった。子はない。同様に独身の妹のゆうと暮らしていた。岡山医科大学卒。明治三二年に生まれ、昭和五九年二月二九日に世を去った。八九歳。晩年の昭和五一年、島根医大に昔の医療器具を寄贈、その後江戸・明治期の医学書三五二点もゆだねた。ゆうは明治四一年八月五日生まれで、現在の京都女子大卒、平成一一年九月一八日九一歳で亡くなった。

早くに医業は廃していたようで、特に診てもらいたい人だけ診療していたという。もっぱら田畑を耕す生活をしていた。畑仕事のかたわら、通りかかる人を呼び止めては話をした。話し好きだった。何事にも一家言のある人で、改変は改悪として嫌い、反骨精神旺盛だった。

松尾家（屋号神向）の七代目に当たる。曽祖父は洞軒、祖父は謙秀。父親は廣運で、明治八年一二月一七日生、昭和二年四月一一日五三歳で死去。母ワサは上河戸渡利家より来た。弟の克（明治一六年八月一四日生まれ、昭和一七年二月二三日没、六〇歳）は油谷家へ婿養子に行き、九人も子があったが義父と折り合い悪く、松尾の家に帰りそこで亡くなった。妹のヒデ（明治二八年三月二三日生まれ）は林崎へ嫁した。

一度だけ、今は取り壊された松尾の古い家に行ったことがある。石垣の上に長屋門のような門を構え、古びた立派なものだった。すぐ近くに願楽寺が高い石垣の上に立っている。そこで撞く鐘の音が山里に響けば、さながら一幅の絵である。

週に一度温泉津の元湯へ浸かりに行ったそうだ。帰りの山道、中学生に荷物を持たせ、駄賃にと駅で買ったアンパンを与えて、歴史や医学の話をしながら歩いて帰ったとの思い出話がある。子供をお供に、物知りな話を放談しながら、湯あみ帰りに谷間の道をぽくりぽくり歩くチョビ髭の老村医のさまを思い浮かべると、懐かしい気持ちになる。実際には見たことなくとも、いつか見たような気がする。

長逝に際し、父の漢詩と句がある。

大恩の医師逝き給ふ閏日に

奉輓松尾久朗先生

仁愛刀圭洽此郷　仁愛の刀圭 此の郷に洽ねく
徳聲奕世潤汪汪　徳聲 奕世 汪汪と潤う
憂時警世傳家業　時を憂い 世を警め 家業を伝う
閏日悲哉赴北邙　閏日 悲しい哉 北邙へ赴く

哭醫學博士松尾久朗先生

戰中戰後變遷時　戰中戰後 變遷の時
雲臥高才仰我師　雲臥の高才 我師と仰ぐ
通學患胸西國里　通學 胸を患う 西國の里
動員瀕死尾州涯　動員 死に瀕す 尾州の涯

無窮恩恵終年謝　無窮の恩恵 終年謝す
絶代刀圭三世醫　絶代の刀圭 三世の醫
閏日卒然乘鶴去　閏日 卒然として 鶴に乗りて去る
斷腸揮涙賦辭詩　斷腸 涙を揮って 辭詩を賦す

二

松尾家のあった上村は、山を越えれば海辺まで一里程度であるが、けっこうな山里の印象だ。さして険しい山ではないが、川をはさんでこちらの山から向こうの山までの広からぬ谷合いの村である。春には鶯の声がのどかにこだまする。

上村は石見国邇摩郡の村で、江戸時代は天領で大森代官所の支配地であった。もと福光本領に属し、福光川の上流にある。福光下村に対して上村というのが村名の由来である。最上流の飯原と合わせて上村・飯原と併称されることが多い。慶応二年から明治二年まで長州藩預かり地であった。明治二二年に小浜村・飯原村と合併して大浜村になりその大字、昭和一六年にさらに合併して温泉津町となった。

『角川日本地名大辞典三二 島根県』(角川書店、一九七九)によると、元禄の『石見国高郷村帳』では村高一八七石余、『天保郷帳』では一九一石余とあまり変わっていない。『石見雑記』には「産業は農間石工をなす」とある。

明治一〇年代の記録である『皇国地誌』資料では、田二二町余・畑一〇町余・切替畑一九町余・宅地二町余・山林未調査。戸数は六三・人口三一三人、牛四二匹。男は「農業売薪業五九戸のうち次の業を兼ぬ。酒売商二戸・醞匠一戸・工匠三戸・鋸匠一一戸・塗匠一戸・医一戸」、女は「総て農事を業とし織職を兼ぬ」。「男一五人・女六人が誓徳寺の人民共立小学校に通学」。産物は農産物のほかに、薪八〇〇〇束・炭四〇駄・葛粉一〇貫・ロウソク四〇貫などがあり、温泉津・小浜・福光へ輸送している」。明治二二年には六九戸・三六九人と増える。

飯原は、『石見国高郷村帳』で村高一四七石余、『天保郷帳』一四七石余。『皇国地誌』では田一九町余・畑一六町余・切替畑一九町余・宅地二町余・山林不詳、戸数七五・人口三一五人、牛五〇頭。物産は農産物のほか、牛と薪炭。男の生業は「農六六戸・大工四戸・木挽五戸・僧一戸」、女は「専業縫織にして又農耕を兼ぬ」。明治二二年には七二戸・三八四人と、戸数はやや減りながら人口は増えている。大森から西田・福光への街道筋にあり、交通も頻繁な村里であったという。

なお、明治八年に上村の田の六一・二％、畑五五・四％は小作地だった。飯原では田の五五・七％、畑の四七・九％。

およそ人の住むところ、伝説なきはない。ことに山里となれば、天狗もやまんばもいる

（『温泉津町の伝説』、温泉津町教育委員会、一九七〇）。

上村の北の高瀬には上瀧の天狗松という大きな松の木があり、天狗が住んでいた。目を開けて天狗松に近づくとけがをするから目かくしをして近よらねばならないそうだ。

やまんばは、飯原の北にあるお大師山の岩屋に住んでいた。頬骨とびだし顎が長くとがって、真っ白な髪を蔓で結びぼろぼろの着物を着たばあさんが、棕櫚か藤蔓で作った緒を売りに歩いていたという。機を織りかけて出かけてもどってみると布に織りあげられていたり、蒔きもしない種が生えて大根や牛蒡ができたりしたが、留守に赤子を傷つけたりもしたので追い払われた。

やまんばあが顔を洗っていた水たまりで洗うと、ししね（いぼ）がなくなる。目ぼいと（ものもらい）も小豆を二粒持って参ると治るという。

また、飯原の奥には忠左衛門という大蛇がいて、悪さをすると目がくらんで道がわからなくなる。

山里の常で、狐に化かされることもよくあった。酒をふるまわれみやげの重箱をさげての帰り、山道で転んで、家に着いて見ると重箱が空だった、というような。

飯原の道端の畑の中に塚がある。朝鮮征伐に村の矢研田氏も出て、切った耳や鼻を持ちかえって埋めた耳塚鼻塚といわれるものだ。

神について語られる話では、「血を吸わない蛭」というのもある。厳島神社の祭神市杵島姫命が川向うから今の宮にお渡りになるとき、川の中の蛭が足についた。蛭の口を絞って、これからは人の血を吸わないようにと言ったと。

これは小浜の厳島神社境内社の衣替神社について伝えれる須佐之男命の話の異聞であろう。朝鮮からお帰りになった命が温泉津の笹島に船を着けられ矢竹を採られたとき、衣を濡らされたので、小浜の浜田川のほとりで衣をすすぎ岩に衣を掛けて干しておられたら、蜷貝や蛭が衣を汚したので、命は蜷の尻を切り蛭の口を絞り、以来いまも浜田川の蛭は人に食いつかず蜷には尻尾がないという。

西田では四本の棒を立てかけて稲架を組み、それがミミズクに似ているのでヨズクハデといっている(ヨズクはこのあたりの方言でミミズクのこと)。今この形のハデは西田にだけ残っているが、以前は上村や飯原にもあった。西田の水上神社に伝わる伝説によれば、神代の昔、綿津見命上筒男命などが日本海に船を乗り入れられたが、海は大荒れとなり、温泉津の殿島あたりに漂着され、それ以来この地を日祖と呼ぶようになった。しばらく日祖から小浜の浜辺などで海水から塩をつくったり、上村、飯原、西田で稲作を教えたりし、そのときヨズクハデの組み方を教えられた。そして西田の水上山に鎮座せられることになった、云々。

三

この上村に、幽蘭こと松尾よねという人がいた。

幽蘭は神向松尾家の四代目松尾洞軒の妻である。洞軒は医者で、幼名文禮。安政六年（一八五九）一二月二五日、赤痢の大流行にあい三五歳で死去したから、生年は文政八年（一八二五）ごろであろう。大坂瓦屋橋藤岡洞斎のもとで修業した。洞斎が華岡青洲の弟子だから、その孫弟子に当たる。一〇―一一歳で入門、一五年間勤め、二五歳で帰郷開業という伝えがある。たいへんな勉強家であったようで、塾生時代、天保九年から同一五年までの写本が残る。「于時天保九歳戊戌十二月吉日調之者也　松尾文礼歳十四才之時　写之也（『痘疹治療万全』）」「天保十四癸卯初秋十有二日崎陽立山医学館　藤岡洞斎大老先生於塾下写之　石陽　松尾文禮　十九才之時（『加賀和流産術秘傳』）」というふうに。天保一四年には一一冊の写本を作った。

師から「洞」の字をもらったというが、それもうなずける。嘉永七年三〇歳のとき、自宅に熊谿書屋を造り、熊谿堂と号す。松尾家墓所の墓碑には「洞軒院釋達明居士」「松尾四代主人洞軒号熊谿堂安政六巳未十二月廿五日卒行年三十五歳」「挌知釣玄術入神巳看枯木亦回春恝然何事齎竒器三十五年辭世人男謙謹誌」とある。もうひとつは最も奥まったところにある横倒しの墓石で、それには「松尾洞軒号熊谿堂行年三十五卒謙助父當家第四代目也」。

世界で初めて全身麻酔を用いて乳癌手術を行なった華岡青洲（一七六〇―一八三五）の手術図が松尾家に秘蔵されていた。青洲の死後、洞軒がその家を訪ねて原本を借り、『奇患図』（二〇四頁）『縛帯図』（六六頁）を画家の柏友に模写してもらったという。弘化二年（一八四五）の写本である（『毎日新聞』昭和四六年五月二八日）。島大医学部図書館に寄贈された旧松尾家蔵書に青洲の『春林軒燈下醫談』『天刑秘録』がある。

洞軒の父松尾尚春は天保四年（一八三三）三月四日死去、五七歳。母ツネは天保九年（一八三八）八月一八日没、四四歳。なお尚春には先妻歌があったが、文政二年（一八一九）四月一三日に二四歳で亡くなった。父が高齢になっての子であり、若くして父、そして母も亡くしている。

松尾幽蘭は明治二六年（一八九三）一〇月三〇日死去、享年七五歳。それから逆算すると文政二年（一八一九）ごろの生まれとなる。

　直接知る人はもちろん、聞き伝えで間接に知る人もいなくなった今では、もはや探るにもよしない。二七歳で二五歳の洞軒に嫁ぐというが、享年から数えて年齢差は五、六歳の年長であり、この伝えは正しくない。後掲の碑文にある通りよねが二七歳で嫁いだとすれば、洞軒は二一、二二であった。ちょっと釣り合いが悪い。まあ、都から片田舎へ嫁をもらうなら、普通とは少し違って当然かもしれないが。

　また、「天保年間（一八三〇―一八四四）、蘭学者松尾洞軒氏が、医業のかたわら、自宅にて私塾を開き、児童に読み書きを教えていた。／弘化年間（一八四四―一八四八）洞軒氏が幽蘭女史と結婚後は、女史が代って教えられ、嘉永年間（一八四八―一八五四）、洞軒氏没せられて後も十数年に亘り、この地方の子弟がその薫陶を受けている。この間二十五年位である」と村人からの聞き書きをまとめた『上村・飯原学校と村の歴史』（一九七七、上村・飯原みんなの会）にあるそうだが、年代がおかしい。洞軒が没したのは安政六年（一八五九）である。弘化に結婚というのはいいけれど、天保年間には洞軒はまだ二〇歳にもなっていない。一〇―一一歳で藤岡洞斎の塾に入門して一五年間勤め、二五歳で帰郷という言い伝えとも反するし、蔵書の一冊に弘化三年（一八四六）浪花にて求むの書き込みがあるので、そのときはまだ大坂にいたはずだから、天保に私塾云々も誤りである。結局同時代の碑文に頼るしかない。
享保の飢饉時、甘藷栽培を導入奨励して人民を救った仁慈の人、芋殿さまこと天領大森代官井戸平左衛門正朋（一六七二―一七三三）を称える泰雲院碑はこの地方に数多いが、上村にもそれがあり、その右に幽蘭の顕彰碑が立っている。
「幽蘭女史松尾米子之碑
女史諱米安達氏京都華族六條氏家士安達彌右衛門之第二女也有故為石州那賀郡畑田村農山下吉左衛門之養女年廿七配邇摩郡上村醫松尾洞軒居十年洞軒病没男謙秀尚幼女史教養有方先是村童就松尾氏學書數而洞軒業務無暇因使女史代教授女史性温良和気接人嗜和歌能書號幽蘭又能弄琴絃毎好誦徒然草其胸襟可知也故受業者不絶寡居幾十年経營晏如也明治二十六年十月三十日罹患而逝享年七十五葬于大濱村松尾氏先塋側嗚呼哀哉門生追慕不已相謀建石云
明治二十七年八月　島根縣中學校教諭　片山尚絅撰」
読み下すと、
「女史諱米安達氏、京都華族六条氏家士安達彌右衛門の第二女也。故有りて石州那賀郡畑田村農、山下吉左衛門の養女と為る。年廿七邇摩郡上村醫松尾洞軒に配し、居ること十年、洞軒病没。男謙秀尚幼かりし。女史教養有り、是より先、村童松尾氏に就き書数を学ぶ。而して洞軒業務暇無し、因て女史をして代りて教授せしむ。女史性温良、和気人に接し、和歌を嗜み書を能し、幽蘭と號す。幽蘭又能く琴絃を弄び、毎に好みて徒然草を誦す。其胸襟知る可き也。故に業を受くる者絶えず。寡居幾十年経営晏如也。明治二十六年十月三十日胃患に患りて逝く。享年七十五。大浜村松尾氏先塋の側に葬る。嗚呼哀しい哉。門生追慕已まず。相謀りて石を建つと云う」

台石には門生三七人の名前も刻まれていて、その中には松尾謙造という名もある。謙秀のことであろうか。

幽蘭は安達彌右衛門の娘であり、自分の生まれた家への思い強かったのか、松尾家墓所には「京都安達井上両家先祖代々追善」の碑がある。

六条家は村上源氏、羽林家（参議から中納言、最高は大納言まで進むことができる家柄）で、家業は有職故実、維新後は子爵となる。しかし江戸時代の家禄は二六五石である。藩ならば中士の扶持だ。その家の経済はどのくらいのものであったか。天保十三年（一八四二）刊の『雲上明覧大全』（松尾家旧蔵）によると、寺町石薬師下ルに屋敷があった。たとえば二八六〇石の裕福な近衛家の項には諸太夫一〇人、侍八人の名が挙げられているのに、六条家では諸太夫も侍も書かれていない。下橋敬長『幕末の宮廷生活』によると、摂家・親王・門跡以下の堂上家では雑掌・近習を置き、彼らは士分だが、一年の給金は三石だったというから、小身である。あるいは山城国乙訓郡にあったという所領の管理に当たっていたかとも思う。しかし娘に和歌琴絃などの教養を仕込んでいたし、嫁入りのときなぎなたや細工の細かい櫃入りの重箱を持たせている（今は瀧光寺蔵）。

「故あって那賀郡畑田村農山下吉左衛門の養女となる」とあるが、それはどんな故だったのか。山下吉左衛門は洞軒の伯父だということだ。明治三年に六五歳で亡くなっている。山下家（屋号井戸小屋）は豪農で、山林田畑を経営していた。その屋敷は登録有形文化財となっている。畑田村は『皇国地誌』に「大概山にして其中間を東北隅より西南隅へ僅の耕地貫き、其他東西に田畠処々散在」とあるような山村だが、石高は『石見国高郷村帳』『天保郷帳』とも二二一石、明治初年戸数八五、人口四一六人だから上村より大きい。しかし、現在の住宅地図を見ると隣の上津井地区との境に八軒ほどがあるに過ぎず、「限界集落」を一歩越えて、ほとんど消え去りかけている。だが、高度成長期の後でこそそうなってしまっているとはいえ、その後の眼でその前を見てはいけない。村の富は耕地だけで計れない。山も富の源泉だった。その頃の燃料は一手に薪であり炭であり、建築材料は木であったのだから。とりわけ、この地域はタタラ製鉄が盛んであった。「現在江津地方にある旧家の祖先にして、鉧製鉄に手を染めなかったというものは殆どない」（森脇太一「石見江津地方における小鉄事業」、『たたら研究』一三）。それに必要なのは砂鉄と炭だから、木炭の需要は高かった。木は前代の「石油」であり、牛は前代の「トラック」であり「トラクター」だったのだ。林業衰退以前、山林地主はまぎれもなく資産家だった。

結婚時洞軒の両親はすでに他界していたので、自身の意思で相手を決められたと思われるが、しかし身分も違えば住所も遠い二人（年齢からも女の方は婚期を外れている）がどのようにして結ばれるに至ったものか。その事情はまったくわからない。（1）京か大坂で知り合い、都合上一旦山下家の養女となり、形を整えて嫁入りしたか。それならどのように知り合ったかが不明である。電車が走る今と違い、京大坂もそう簡単に行き来はできまいし、その当時それなりの家の娘はみだりに外を出歩かなかったはずだ。（2）あるいは何かの事情で畑田村に養女になって行っていて、そこで洞軒と縁談でもあったか。これでもなぜ山下家の養女になったか理由が知れぬ。要するに伝記のまったき空白部分で、小説家なら勝手な想像で埋めるところだが、小説を嫌う者としては、わからぬことはわからぬとしておくにとどめる。

なお、墓碑には「幽蘭院釈尼利貞」「松尾洞軒君内正通称ヨ子賢明能書常好徒然草晩年信佛教明治廿六年十月三十日（以下六字欠けて読めず）」とある。

息子の謙秀（謙助）は嘉永六年（一八五三）一〇月九日に生まれ、大正二年（一九一三）一一月七日に六一歳で亡くなっている。明治を自分の時代とした人で、松尾家中興の祖とされる。『東京医事新誌』にも寄稿をしていた。木島から妻キチを娶る。才能ある息子を立派に育て上げたものだが、しかし洞軒が死んだとき謙助はまだ一〇歳。そのとき舅姑もすでに亡くなっていた。幽蘭は謙秀が一人前になるまで家を支えなければならなかった。

はじめは自宅で教えていたという。明治初年ごろ誓徳寺で塾が開かれ、そこで住職円心が教えたというが、村人伊瀬寛造の履歴書に「文久二年十二月生れ、明治三年五月ヨリ、五年十二月、上村松尾米女ニ従ヒ普通学ヲ修ム」（『温泉津町誌』下、温泉津町、一九九五：七）とあるそうだから、よねの教授は続いていたのだろう。

寺子屋では、「師匠に対する謝礼としては、雛節句、端午節句、盆、正月の年四回、三分乃至一匁の浜田札を包んで進呈したものという」（同：八）。

明治五年の学制発布に伴い、明治六年五月一日「上村飯原学黌所」として誓徳寺庫裡を借りて開校した。鷲峰寺住職鷲丘等阿が教師となったが、「鷲丘氏は僅かに三か月で職を辞され、後は曽て私塾を開き、学校創立の先覚者である松尾米子女史が無給で教師の任に当たられ、創立後の惨憺たる苦心の中に基礎を築かれたのであります。／のち、藤谷不染氏が教職に就かれ、学校世話係木島清之助、吉田橘太郎、松尾謙秀氏と協力して学校の設備、内容に大革新を断行されたのであります」と温泉津小学校上村分校廃校式(一九六五)の式辞で述べられている(同:一四)。藤谷不染は願楽寺自牽の弟である。

なお、この誓徳寺の本尊は真言宗には珍しく阿弥陀如来なのだが、もと辻山の阿弥陀岳山頂にあったという。この如来さまは沖を通う船をたびたび止めたものだから、迷惑して慶長年間に今の地に移したものだそうだ(『大浜村誌』)。

歴史には「大きな歴史」と「小さな歴史」がある。幽蘭の生きた時代、大きな歴史のエポックはもちろん明治維新であり、それに先立つ長州征伐であっただろう。

西田から飯原、上村への道は山陰街道だったから、征伐軍は陣羽織に槍のいでたちで威風堂々と進軍したが、大敗し軍規を乱して敗走、それを追って長州軍が来た。頭には笠、腰には袴ももだちの軽装で、剣付鉄砲を担いでいた。上村で休憩したが、そのときは鉄砲を三組に立てていた。幕府軍の敗退後こんな歌がはやった(『大浜村誌』)。

長州攻めるて　わが攻められて
猫のかんぶくろで　あとすだり

幽蘭にとってのエポックは、洞軒との結婚と遠い石見の山里への移住と、一〇年後の夫の死であっただろう。御一新の変革も影響を及ぼしたには違いなく、「大きな歴史」は「小さな歴史」にしきりに介入するが、その前とその後も基本的には連続しているわけで、「大きな歴史」を「小さな歴史」に振りかざしすぎないほうがいい。

四

「幽蘭」は奥深い谷に生えた蘭の意味で、山の谷間の村に嫁いだよねにふさわしい雅号である。芭蕉の連句全集である『幽蘭集』という句集があるから、そこから採ったのかもしれない。和歌や俳句の素養があり、その墓碑には歌が刻まれている（『温泉津町誌』下：四二六）。

「おこたりに身を過まる、
　けさはまた御法の庭に
　　鶯のこゑ」

俳句では、飯原の金剛寺に奉納された俳句額がある。

「有仙居士追悼発句集
　三竹園青池評

魁

何事もなくて夜明けぬくさの花　小ハマ 素月

雨はるゝかたより春のつき夜哉　ハツミ 竹山

雲かけの添へば戦くやおミなへし　米女

うくひすの来る樹をもちぬ江の小家　川本 静月

人あけしふねの掃除や朝かすみ　松園

売に来たむしにあき立つ都かな　如水

いそがしい間にも沙汰して春を待　ハツミ 竹翠

かすまねは常の朝なり江の小いへ　米女

祇園会やくもりを払ふ朝あらし　如水

やはらかに風のはしるやをみなへし　フクミツ 又佐

ゆく雲をみるやつくもの中の水　矢上 僕々

からうすををりて菊見の案内かな　松園

しら雲をはやはつ花のかまえかな　ハツミ 芳谷

こころ澄むかきりや月ににほう菊　如水

植た夜をはやなれ〱し竹の月　同

田一枚ふさくやうめのあさ日かけ　米女

うめにしろく柳に青し春の水　大家 石鼎

着そむれは行さき多きあはせかな　同 一奥

ひとすちのなかれにふける火垂哉　ハツミ 呉江

うつなみも静になして初日の出　竹翠

ふり遂し景色なりけり竹の雪　米女

秋にはや瀬ありて柳のみとりかな　素月

朝かほのさきむかひけり朝のつき　同

雁なくやさす潮寒く夜のあける　米女

やまふきやその川上は八瀬の里　ユノツ 桑孤

ゆふくれに間ちかき萩の戦き哉　ハツミ 雨竹

名月に見そへくれけりはしり雲　松園

さゝなきや障子のまゝの庵の留守　如水

蓮さくや朝と暮には橋の上　松園

馬乗て今日も行たし春の礒　竹翠
剪のこす小まつの傍の桔梗哉　松園
川上や瀬にそふて来て月と梅　叢波《大モリ》
提出した人もすわるやすゝみ台　志玉
あきのあはれ我より人にうつりけり　里竹《ハツミ》
はれ切たそらの青ミやあきの色　素月
また人の寝ぬ物をはやあまの川　素卜《川本》
むかしから人の機嫌や花のやま　素月
山こして来る人こゑや今日の月　一竹《日貫》
青うめを小くさに置て川手水　里恭《大モリ》
うくひすの不断になりし二月哉　景波《ユノツ》
わか竹や三日月よりもたかく伸　松園
定りた日に雲もなし散したに　詞耕《フクミツ》
野に枯て音より細きなかれかな　如水
夕くれてまつかせ戻るすすき哉　竹山

かれくさや根にわなかれを持なから　川本 梅朗
見えぬ日に壁にと丶きぬ暮の秋　同 竹危
尾

下略

かはりなき名も十八のささけ哉　評者 青池
世に居らは杖に剪へき藜かな　願主 松園
罌粟かた手たふつく手桶山手哉　同 米女
厚朴の樹の花に香もなし蜀魂　補助 詞耕
蚊くすへの外のなミたやけふの暮　執筆 如水」

「嘉永七年歳次甲寅（一八五四）晩秋納」とある。この米女は幽蘭のことであろう（同：四三七以下）。評者島田青池は浅利の人で、タタラを業とした。

青池や松園とは親交あったらしく、松尾家に所蔵の書物中、句集『ひの川集』（安政五年・一八五八）にはこの二人に並んでよね女の句が載っている（金剛寺奉納額の句と同じ：田一枚ふさくや梅乃朝日うけ）。松園は『石見人名録』に「森山圓作号松園温泉津之人」、「雪華集」にも「ユノツ」とあるけれど、『ひの川集』では上村の人となっているし、『石見人名録』のこの人の肖像には鍬がかたわらに置いてあることからも、町場の温泉津ではなく上村の農家ではなかったただろうか。

その他、医学書や漢籍以外の松尾家旧蔵書には、手稿本では、よね女の句を載せる二冊：『有仙居士五十回忌』句帳と表題のない諸家句帳（表紙が洋紙だから明治のものであろう）のほか、名歌の書抜き帳『衆歌拾穂集』があり、刊本では、『ひの川集』（橡實菴一枝編、蕉門御摺物所 京四条寺町東入御旅町 湖雲堂近江屋利助）、『雪華集』、ほかに『除元集』（安永八年・一七七九、江橋の編、上村・福光連中の句あり、その中に有仙・烏江も見える）『三十番歌合』『新百人一首』（文化十一年・東都書林）『今人名家類題夏之部』『同秋之部』。蜀山人の『千紅萬紫』『萬紫千紅』。『華岡草書千字文』上、頼山陽の遺墨集『新居帖』四冊（弘化四年）は習字の手本として使ったのだろう。波積の人の写した『智永四體千字文』。『新刻蒙求』上中下は謙助の教育のためであったろうか、子供の落書きがある。寺子屋でも用いたのかもしれない。公家に仕える家の出であるためか、公家の人名録『雲上明覧大全』上下（天保十三年刊）もあった（これらも今は瀧光寺蔵）。

五

右に幽蘭碑のある芋殿さまの碑の左には、林崎政子の顕彰碑が立つ（『温泉津町誌』下：八六以下）。

「故林﨑政子先生追慕之碑

元島根県師範学校長従五位勲六等本田嘉種書

嗚呼此是林﨑政子女史追慕之碑也。女史元岡山藩士富田氏。十七歳帰于林﨑朴也氏。池田侯之旧臣食禄百五十石。琴瑟相和挙一女名小郷明治十一年朴也氏長逝女史時年廿五生来以繊弱之身事老姑教育幼女、困苦惟耐欠乏惟忍以明治廿二年時石州上村之人木島氏請女史為私立石見女学校教師今之上村裁縫教場之前身也。女史常以身率生徒幽嫺貞淑動静有法澗濯縫紉養蚕紡糸二十五年如一日大正二年八月六日病没享年六十歳及門之児女如喪母追慕不已胥謀建碑請文於予、予感女史徳行入人心之深記其梗概係以銘銘曰

石州上村　風厚俗敦　貞名鎮魂

豊碑豊恩　子子孫孫　芳名永存

大正三年五月

元島根県師範学校長従五位勲六等本田嘉種撰併書」

詠み下すと、
「嗚呼此は是、林﨑政子女史追慕之碑也。女史元岡山藩士富田氏。十七歳林﨑朴也氏に帰す。池田侯之旧臣食禄百五十石。琴瑟相和し一女を挙げ小郷と名づく。

明治十一年朴也氏長逝す。女史時に年廿五 生来繊弱之身をもって老姑に事え、幼女を教育し、困苦これ耐え、欠乏これ忍び、明治廿二年の時を以て石州上村之人木島氏、女史を請い、私立石見女学校教師と為す。今之上村裁縫教場之前身也。

女史常に身を以て生徒を率い、幽嫺貞淑動静法有り。渊濯縫紉養蚕紡糸、二十五年一日の如し。

大正二年八月六日病没。享年六十歳。及門之児女、母を喪う如く追慕して已まず。ともに謀りて碑を建つ。文を予に請う。予女史の徳行人心之深きに入るを感じ、其梗概を記し、以て銘に係す。銘に曰く、

石州上村　風厚俗敦　貞名鎮魂
豊碑豊恩　子子孫孫　芳名永存」

この私立石見女学校は明治二二年(一八八九)に木島清之助、伊瀬寛造ら土地の有志によって設立された。裁縫教授を主とするが、習字・作文・算術なども教えていた。石見で最初の私

立女学校の試みであった。明治二八年上村裁縫所と改称し、昭和一二年(一九三七)まで続いた。はじめは木島家二階を教室にしていたが、大正初期に新築移転した。生徒は、村内はもちろん、近隣の村々から来ていて、石碑刻名には邑智郡の日和や粕淵、安濃郡川合村などの名もある。遠方からの生徒は、裁縫学校の二階に泊まったり、縁故を頼って下宿したりして通学していたという。

湯里出身の作家難波利三氏の母堂チヱノ(旧姓光井)もこの裁縫場へ通っていた。その思い出によると、

「大正十四年一月、上村の林﨑裁縫場へ入れてもらいました。

先生は林﨑おこう様といいました。

通学には、西田から坂根坂をのぼって飯原へ出るのです。山の中の淋しい道でした。入学当初は、ひとりでかよっておりました。(…)

この裁縫場での勉強は、はじめは単衣物が、一、二、三月でした。四、五、六月が袷ぬい、八月が夏休みでお茶のけいこ、九、十、十一、十二月が綿いれ。次の年の一、二、三月に羽織を縫い、四、五、六、七月袴、九、十、十一、十二月が絹一期で絹物、三年目の一、二、三月が絹二期でした。絹二期は絹綿入れでした。

私は、絹二期までやってもらいました。

大部分の人は、羽織まででやめておりました。

月謝は月々一円でしたが、コテを使うので、炭代が冬は二十銭、夏は十銭位。

ですから、月々総額、一円二十銭から一円三十銭です。(…)

夏休みに習ったお茶は、「千家裏流」でした。「ふくさの縫い方」、「お手前」、「おはこび」などで、十日位けいこしたと思います」(『温泉津町誌』下:八八以下)。

村にはこの学校を設立した木島清之助の頌徳碑もある(同:九一以下)。

「勲七等木島清之助君頌徳碑
木島清之助氏ハ当村木島家第十三世ノ当主ナリ。夙ニ心ヲ公務ニ致シ福光村外三ヶ村戸長、大浜、五十猛、静間ノ各村長、県議会議員等ニ歴任シ、教育、産業ニ衛生ニ公益ヲ増進スルコト洵ニ大ナルモノアリ
教育ニ於テハ明治維新ニ際シ百般ノ制度更新セラレタリシモ、青少年ノ教育機関ナキヲ憂ヘ有志ト謀リ他村ニ率先シテ大ニ普通教育ノ普及ニ力ム。殊ニ女子教育ニ於テハ明治十七年頃福光村ニ於テ各集落ニ裁縫場ヲ設ケテ好結果ヲ得、時運ハ漸ク女子実業教育ノ急務ナルヲ痛感シ来リシモ、当時県下ニ其機関ナカリシタメ岡山市ヨリ林﨑政子及其長女小郷両女史ヲ聘シ私費

ヲ投シテ明治二十二年私立石見女学校ヲ自宅内ニ創立セリ之レ実ニ地方ニ於ケル女子実業教育機関ノ濫觴ナリ。

現在ニ於ケル林﨑裁縫場ハ其後身ニシテ卒業生ノ数既ニ五百余名ニ達スト云フ。（後略）」

大正十四年の建立で、発起者は「上村裁縫場主　林﨑小郷　外生徒五十六名」とある。

村の教育貢献者であるこの二人の女性の顕彰碑を見て思うのは、文化の浸透にあずかって力があったのは交通と旅であるが、女性の流入も小さからぬ役割を果たしているだろうということだ。他地域（都市部など）・他階層（上の身分）から嫁入りなどの形で降りてくる女性は、しっとりと確実に土地の文化を潤していったに違いない。

六

「村里の文明開化」というものを考えてみたい。（民族学で言う「文化」でなく）「高文化」の意味での「文化」が庶民農民層まで行き届いたのが江戸時代である。村々に僧侶や医師といった知識階級があった。まず民衆のうちの知識層・中流層、寺家・医家・裕福な商人・庄屋・富農のような人たち、さらにそれから末端まで、「高文化」はしっかり浸透していった。教育の普及で見れば、寺子屋はこの地では文化文政ごろからあったのではないかとされている。

生活にもゆとりがあった。邑智郡田所村の田中梅治（一八六八―一九四〇）はその著『粒々辛苦』の末尾に餘談として、「百姓程餘裕多イ仕事ガ外ニ何ガアルカ、一旦苗代ニ種ヲ播イタラ植付迄ノ約二ヶ月ハ温泉行、御本山参リサテハ親戚訪問出来得ルノハ百姓デハナイカ植付ヲ終ツテ朝草ヲ刈リ牛ヲ飼ツタラ昼寝ヲユツクリ出来得ルノハ百姓デハナイカ、秋収ヲ終ヘ籾ヲ櫃ニ納メ置キ炉辺ニ榾ヲ燃ヤシツヽ藁細工ニ草履ノ二三足モ作ツテ其日ヲ送リ、又仏寺ニ参詣シテ自慢ヲ戦ハシツヽ殆ド三ヶ月ノ呑気暮シノ出来ルノハ百姓デナケレバ真似ノ出来ナイコトデハナイカ」（『日本常民生活資料叢書』二〇、三一書房、一九七八：一〇二）と書く。これは昭和の初めの述懐で、そのころ村を離れ給料取りになりたがる青年がでてきたのを危惧して書いたものという強語の面はある。この人は村の信用組合産業組合に働き、助役も務め、自村を本人感じるところの「理想郷」に作り上げたとの自負をもっていたのだから、これをもってただちに江戸時代の百姓の生活と並べてはいけないのはもちろんだが、割引きしつつもやはり共感してよいものはあるだろう。二五歳のころから俳句を作り、「ホトトギス」の会員となって正岡子規や内藤鳴雪の指導を受け、村に「柚味噌句会」を作った人だとも付記しておこう。

たとえば後述する有福の善太郎は、もとはあばら家に住んでいた。のちに中農程度になった人だが、金釘流ながら字が書けた。京都の本山へ九度も参っているし、浜田や西田などけっこう離れた町や村の寺の法座に出向いたり、芸州にほど近い出羽村に同行磯七を訪ねたりもしていた。ゆとりのある暮らしぶりである。飢饉となれば餓死者を出すことがあっても、今の高みから見下されるほど苛酷な暮らしではなかっただろう。

山伏の大先達で、九州から東北までつぶさに旅した野田泉光院（一七五六―一八三五）の『日本九峰修行日記』を見れば、当時の田舎の知的水準、好奇心の高さがわかる。文化一一年（一八一四）四月二十日「益田と云ふ町へ着」き、龍照院という山伏宅に泊まると、「夜に入り隣家の者多く旅中日記聞きに集る」（『日本庶民生活史料集成』二、三一書房、一九六九：七四）。知りたがりが多いのだ。文政元年（一八一八）八月一一日に美作川原村で百姓家に泊まったときは、『孝経』『大学』の講釈を乞われ、翌日から始めている。一八日、「先日より誦みかけの大学講釈始める。近所の者共は勿論、医師、出家等迄数十人恰も大阪阿弥陀ヶ池の説法の席の如く集れり。講釈中場にても多葉粉を吸ふやら、足を延ばして坐り居るもあり、後には庭迄も男女老若押しまぜ集つたり〳〵さてさて面白かりき、乍然田舎もの物知らず不作法なることなり」。二一日は桑村というところに泊まり、「孟子」の講釈をしている（同：二四六）。中には暇つぶしの物見高い連中も交じってはいようが、田舎の村人の知的好奇心の旺盛なさまが現われている。村々まで文明程度が高いと言っていいのではないか。

明治の「文明開化」はすでに用意されていたものの連続である、ということだ。様式と手本、規模と速度に違いがあるだけで。「革命」は「暗黒時代」を作る。「革命」の成功は前代を「暗黒」にすることが必須である。「革命」成功の受益者たちによって貶められた前代の「暗黒」を真に受けすぎないほうがいいだろう。民主主義だって村の寄合や一揆などにすでに見られたものだ。技術や経済に革命はあるが、政治の「革命」には真剣に疑いの眼を向けなければならない。すべては連続しているのだから。

「文明開化」の例証は、俳句俳諧の普及隆盛である。

俳諧はすぐれて平和の文芸である。平和のないところに俳諧はない。極短詩型で取りつきやすいこともあるが、座の文学であり、仲間が集まって前の句に後の句の付け合いをする。朋友集まれば、飲み食いもすれば談笑もする。それらすべてをひっくるめて俳諧であるから、平和でなければできないし、それ自身平和を体現してもいるわけだ。徳川の泰平は、俳諧を育んだことにその功績の第一があると言っても過言ではない。

この地方の俳諧の歴史からいくつか拾ってみると、まず元禄一四年(一七〇一)大森で編纂された俳諧集『石見銀』には温泉津の俳人二名が採られている。この集の編者望雲軒巨海は石見銀山に勤める役人だった。

　上村の路傍には岸本江橋の句碑がある。

「澄む月の影に塵なき世界かな　不勝翁 江橋」

　福光の得月舎烏江が文化七年（一八一〇）に建てたものである（「温泉津町誌」下：四二四）。江橋は大国の人で、安永六年（一七七七）から八年（一七七九）にかけて『除元集』を編纂した（その安永八年の集が松尾家に所蔵されていた）。そのころの大国は邇摩郡でいちばんの石高で、『石見国高郷村帳』で一二八七石、『天保郷帳』で一五〇九石。戸数は文久三年に四〇九戸、人口二〇四八人。明治の初めは戸数四二六戸、人口二〇二五人であった。享保五年に細物売一・紺屋一・酒屋三・大工二・木挽九・油屋二があり、牛は延享二年に二七七頭だというから（『角川日本地名大辞典三二 島根県』）、かなり豊かな村であったようだ。石見俳諧のひとつの中心であったのもうなずける。なお烏江は『石見人名録』に句が載っていて（また笠も穢れぬ梅の旅路かな）、「石田氏藤原縄春俗称安野ヱ門住福光村林」とある。

　広島の俳人玄蛙（一七六二―一八三五）は文政六年（一八二三）に石見を旅し、それを『萍日記』三編にしるしている（『江津市誌』下、江津市、一九八二：一〇七四。下垣内和人「翻刻『萍日記三編』」、『文教国文学』三八・三十、一九九八も参照）。

「太田の郷に行て、犂田を訪ふ。家に矍鑠たる翁あり。好て、国書を読、嘗て石見志を著し、又地理に委しく江の河の図書を撰ふ。また農家必用の書を作り、皆古書に依り、先輩の説をかうかへ、多年かき綴り、頗巻帙をなす。素り世の名を釣り、利を衒ふのたくひにはあらす。たゝ自好むところに遊ひて、性を養ふの業なりけり。かくて、天性もの覚よき人にて、常に客をとゝめて、其記憶するところを談話して日を経る事を忘る。又稀なる一畸人なり。こゝにとゝまる事、三日四日。一日雨いたく降て江河の水かさまされハ、いてやとて、犂田自網を入て、二尺余りの鯉三尾、尺に近き鮒、数口を獲て帰る。いといさきよし。かくて俎を出せハ、

水そゝく鯉を五尺のあやめ草　玄蛙
窓前の朝けしきは、と問はれて
さと薫る軒の青葉やほとゝきす　玄蛙
袷の肩にかゝる山雲　犂田
海つらのはさりともせす夏の来て　仝
ほこりもたゝぬ砂の夕栄　蛙
月前の用意に小菜もまひきたし　仝
露の草履をふるふたひ〳〵　田

網代打汀を鳶の除もせす　仝
　高根おろしに白髪いらたつ　蛙
茯苓と松の契りをものかたり　田
　しくれせしよりおこるうたかひ　蛙
水鳥の声もこたへる腹の病　田
　入江の小浪ひとしきりつゝ　蛙
転はしたやうに出て居宵の月　田
　刈捨てある草のやゝ寒　蛙
宗因か笠を案山子にかふらせて　田
　桑摘こほすたしまかい道　蛙
杣か子の雉に小弓を引張て　仝
　こゝろすハらぬ雲のむら立　田
見破し夢の大事をわすれ兼　蛙
　浮名吹切今朝のやま風　田
因縁を聞ハ真壁の平四郎　蛙

いたゝく袖に霰たはしる　田
梅椿としも三十日になりにけり　蛙
　水もよとまぬ淀の川筋　田
旅硯筆の命毛きれもせす　蛙
　連歌の友を月に尋し　田
粟稗の窓は鶉に明はなれ　蛙
　在所祭りの笛か聞える　田
岩滝の流れの末に年を経て　蛙
　無理に我名を隠す竹藪　田
村雨のかすれ〳〵に通るなり　仝
　孕鹿やら人もおそれす　蛙
白かねの花咲国に迷ひこミ　仝
　脊中ほやつく草の陽炎　田」

この「矍鑠たる翁」とは石田春律（一七五七―一八二六）のことで、太田村の庄屋にしてタタラも経営していた。石見の地誌『角鄣経石見八重葎』や『石見名所図会』、農書『百姓稼穡元』などを著した。澗水として俳句も作った。田龍（犂田とも号す）は息子である。

玄蛙はこのあと温泉津で入湯、西田の奇寉を訪ね、そこでも歌仙を巻いた。西田の名物は葛で、「葛の葛より出て葛より白きは、藍の藍より青きにひとしく、其製の精しきと、其水の清潔とによるなるべし」（『温泉津町誌』下：四九〇）と書いている。

石田田龍が編んだ天保二年（一八三二）刊の『石見人名録』は石見の文化人名鑑のようなものであるが、そこには飯原人で松青と号す吉田方久の俳句（春の気の 匂ひ芳し おぼろ月）と上村の敬豊字五兵衛の和歌（来鳴くやと まくらに誇りのつもるらむ 幾夜まつちの 山ほと、きす）が載せられている（同：五〇八以下）。

これに漢詩と俳句（さびしさを おのれも鳴か 閑古鳥 志明）を採られた多田道仙（多田功成字子勤 号北州道仙 男温泉津人）は、おそらく温泉津の商家であろう（同：五一一、五一〇）。

開花雨亦復摧花　開花の雨 亦また花を摧く
近日無人来駐車　近日 人の来りて車を駐むること無し
何事東皇帰駕急　何事ぞ 東皇 帰駕すること急なる
春光狼藉委泥沙　春光 狼藉 泥沙に委す

漢詩は主に儒者・医師・僧侶の詠むものであるが、時代を経るにつれ、それにとどまることはなかった。

村の真宗寺院金蓮山願楽寺は文明三年の開基である。紫白庭が有名だが、これはもと墓地だった。天明五年(一七八五)の飢饉の際に、籾倉を開いて村人に米を施した。村人はお礼として労力奉仕して裏山を削りとり、墓地を移してこの庭ができた。

昭和八年、この庭を詠んだ梅田謙敬(一八六九—一九三八)の「金蓮山庭園八勝小詩」がある(『大浜村誌』)。謙敬は妙好人浅原才市が法座に連なった小浜の安楽寺の住職であった。

印月池

池深幽趣有　魚樂幾浮沈　殊覚月明夜　金輪印水心

白瀧泉

一水懸巖落　青楓蔽兩崖　中流石摧處　宛似白龍躍

滿月燈

石燈池上聳　終夜独煌々　晴雨毫無隔　看來滿月光

龍背橋

斜陽照來處　宛似黑龍璈　自在池蓮發　方知橋背高

躑躅岡

紅緋兼紫白　躑躅幾団花　積翠林丘色　暎來園景著

翠壁岩

絶巌經兩碧　十丈壓池高　老松蟠厥上　攀得但猿猱

紅楓丘

苔逕斜通處　楓外簇上丘　秋霜又秋兩　錦繍織來幽

天柱石
林樹摩天聳　中看巨石靑　千年苔色老　突兀壓園庭

俳人中島魚坊（一七二五―九三）は大田南村に生まれた人で、元は商家だが、大火で家が焼かれ、また子を亡くしたことで剃髪し、俳句の宗匠として立つことにした。出東、米子、今市に庵を結び、俳匠として名を残すほかに、漢詩を民謡調に訳している（『唐詩五絶臼挽歌』。それは井伏鱒二の漢詩口語訳集『厄除け詩集』の粉本となっている）。

たとえば韋應物「聞雁」（故園眇何處／歸思方悠哉／淮南秋雨夜／高齋聞雁來）を、

我故郷は遥に遠ひ
帰りたひのは限りハなひそ
秋の夜すからこのふる雨に
役所て雁の声を聞く

と訳す（寺横武夫「井伏鱒二と『臼挽歌』」、『国文学解釈と鑑賞』五九―六、一九九四：八五。

ちなみに「厄除け詩集」では、この詩は「ワシガ故郷ハハルカニ遠イ／帰リタイノハカギリモナイゾ／アキノ夜スガラサビシイアメニ／ヤクシヨデ雁ノ声ヲキク」）。

魚坊は仮名詩もものした（松井立浪『俳人魚坊』、魚坊翁顕彰会、一九五〇：一〇五）。

黄鳥

日もうら〳〵と
けふや初音の
谷の古巣は
いつか出しぞ
長刀もなき
我が宿なれば
花踏みちらせ
心やすくも

ついでに『大浜村誌』からこのあたりの臼挽歌をいくつか挙げておこう。

歌へ〳〵と攻めかけられて
歌はでもせぬ 汗がでる

しんぼしなされ しんぼは金だ
しんぼする木に金がなる

親は子と云ふて 尋ねもしようが
親を尋ねる子はまれな

田植歌では、

この世のはじまりは いづ神か
いざなぎ公は召し給ふ
いざなぎと云ふ神は有難い神やれ

人間に生まれ来るありがたい神やれ
てうせう山に参りて 神の縁
きかば何十五の菩薩が
五穀の種となされた
五穀の種をもとめ来て
諸人の人の命つぎ

七

石見は「石見門徒」と言われるように真宗の土地である。上村の場合、文久三年（一八六三）に九二％が浄土真宗だった（『山陰真宗史』、浄土真宗本願寺派山陰教区、一九九八：一三七）。

この宗派からは「妙好人」と呼ばれる篤信者がよく出る。「浄土宗信者の中に「妙好人」の名で知られている一類の人達がある。ことに真宗信者の中にそれがある。妙好というは、もと蓮華の美わしさを歎称しての言葉であるが、それを人間に移して、その信仰の美わしさに喩えたのである」。「婦人及び市井寒村の人々の中に最高級の妙好人を見出し得る」（鈴木大拙『妙

好人』、法蔵館、一九七六：一一、一二）。

たとえば、『妙好人伝』（四編巻下）の「石州善太郎」（「此伝は同国上村願楽寺殿より親く承りて記ぬ」とある）で知られた有福の善太郎（一七八二―一八五六）である。

善太郎は、若いころは「毛虫の悪太郎」ときらわれていた。幼い四人の子供を次々に先立たせ、四〇歳にして弥陀の教えに深く帰依するようになった。「有福の念仏ガニ」と言われていた。いつも口に念仏を唱え、いかつい容貌であったかららしい。

寺は教化の場だが、社交の場でもあり、「耕す」という文化の原義の通り、互いに心を耕しされる場であった。

「ある年、瑞泉寺の報恩講に参ったものである。法座が終ったのち、本堂にのこった同行らは、善太郎さんをかこんで法談をはじめた。そして話がはずみ、それが最高潮に達したとき善太郎さんは便を催して、ふっと座を立った。ところが待てども待てども座に帰ってこない。ちょうどそのときその寺の坊守さんが庫裡の戸口に出たところ、便所の前で踊っている男がいた。それはなんと善太郎さんである。

「善太郎さん、早う帰んさい。本堂でみんなが待っとりますよ」と坊守さんが呼んだ。すると善太郎さんはわれにかえった。

「おう、そがあだったのう」といいながら、しずかに本堂の法談の座に帰ったとのことである」(菅真義『妙好人有福の善太郎』、光現寺内栄安講、一九八三：五七以下)。

同じく妙好人とされる磯七という人がいた。「善太郎は予てより出羽村の磯七同行と昵懇であった、或年の春、態々磯七を訪ね徹宵法味を味ひながら互に踊つて喜んだ、然し自分の踊つた事は一向覚えずして、「磯七殿が踊つて喜ばれたが何と有難かつたよ」と云ふ、磯七も又自分の踊りし事は打忘れ「善太郎の踊りが面白くて有難かつた」と互に己れを忘れて喜んだと云ふ」(『大正新撰妙好人伝増補第一』、『瑞泉寺縁起史』所収：一六〇)。

喜びに踊り出すその人柄が何ともうれしい。この磯七と善太郎が語り合っているのを戸のすき間から聞くと、「ありがたいよのう、ありがたいよのう」「親さまじゃのう、親さまじゃのう」ばかりだったそうだ。

善太さんはなかなかにすごい金釘流であるが字が書けて、書き物をたくさん残している。

「善太郎は父を殺し、母を殺し
その上には盗人をいたし、人の肉をきり
その上には人の家に火をさし
その上には親に不孝のしづめ

人の女房を盗み
この罪で、どうでもこうでも
このたびとゆう、このたびは
はりつけか、火あぶりか、打首か
三つに一つは、どうでもこうでものがれられん」(『妙好人有福の善太郎』：二〇)。
「地獄は一定すみかぞかし」と観じていた親鸞の言う「悪性さらにやめがたし　こころは蛇蝎のごとくなり　修善も雑毒なるゆへに　虚仮の行とぞなづけたる」と同じ自己認識である。肖像画に角を描かせた才市とも共通な、自分の本性に発現可能な悪の種を見て、それでも救ってくださる阿弥陀の親様への感謝の念へとつながるものだ。

仕事をしながらよくひとりごとを言った。

「善太や、わりゃ地獄行きだぞ」

「やれやれどがあしましょう」

「心配すんな、せわあなあ、あみだ如来がきっと引き受けて参らせてやるけえの」

「やれやれもったいのうござります」

同じく妙好人と言われ、鈴木大拙に「日本的霊性」の代表と讃嘆された小浜の下駄職人浅原才市（一八五〇―一九三二）は、おそらくもっとも有名な妙好人であろう。仕事のかたわら一万もの口アイ宗教詩をカンナ屑に書きつけた。

「わしの後生わ、をやにまかせて、
をやにまかせて、わたしわ稼業。
稼業する身を、をやにとられて、
ごをんうれしや、なむあみだぶつ、なむあみだぶつ」

善太郎さんと違い、才市つぁんはごく近年生きていた人なので、経歴もわかれば接していた人々の思い出も書き残されている。まだ「生《なま》」である。たとえば、飯原から薪を売りに行った人が才市に値切り倒されたなどという話がある。「才市さんはあれでなかなか欲でしたけーなー」と述懐したそうだが、つましい下駄作りが言い値どおりにぽんぽん払えるわけがない。これは飯原から小浜へ薪をかついで売りに出ていたことを示す例と聞こう。

時に洗われた善太さんは昇華されていると言っていい。その極まりが土地の盆踊りの善太郎口説きである（『妙好人有福の善太郎』：一六六以下）。

「広い世界をたずねてみても
真の同行はまれなるものよ
国は石州浜田の領地
村は有福、善太郎同行
若い時より法義のきざし
これが信者と名高くなりて
智者も学者もおろかなものよ
真似がしたいとかかってみても
胸に尊き信なきゆえに
だれも及ばぬことばかり
御身、要心、怪我でもなすな
あわてまいぞえ、若衆どもよ
わしもお前も前世を知らぬ
わしは定めてお前の物を
前の生にて盗んでおいた

返しにゆくべきこの柿なれど
取りにでて来て下さるそうな
何も前世の約束なりと
三世因果の道理を説いて
法義話でよろこぶばかり
口は無口でものかずいわず
時におりおり念仏となえ
これも仏のもよおしなりと
自力我慢の風情もみえぬ
いつも変わらず、こと柔らかに
心しずかにおさまりて
身柄かたちはつくろいもせず
自力雑行の垢ないように
寺へ参りて御法の水の
ことにすぐれし大谷川の

清き流れに心をあらう
知らぬ他国の評判たかく
善太、善太とそのふうみれば
着物みじかく心は長く
帯は解けても、あわてはせぬよ
キンカ頭に破れた帽子
百姓仕事の合い間の時に
寺やお宮や市町出でて
少々ばかりの商いめさる
ミカン、クネンボならべておいて
御法聴聞その尊うとさよ
銭をとるより法義の金と
永い未来の出立ちの用意
ご恩、お慈悲と天にも躍り
地にも伏しつつ喜ぶばかり

法座おわって店棚みれば
カキもミカンも行方が知れず
帰る時にはあきカゴさげた
あわれ、しほしほお念仏
時に天保申年のことよ
五穀実らず大飢饉
米が一升で三百、四百
人々乞食、飢えかつえける
ここも盗賊、あそこも盗人
少々もちたる善太の米を
ある夜盗人忍んできたり
盗みとらんとあたりをみれば
善太そ知らぬ横顔ふりて
人の悪さは、みな我悪き
昔、負いたる借銭なりと

思いまわせば南無阿弥陀仏
善太くどきもまずこれまでよ」

石見の地生えの文学である。

なお、この地方の盆踊りの口説きでは「石童丸」「鈴木主水」「巡礼おつる」などが人気がある。櫓を組んでそのまわりを回る輪踊りで、有福の盆踊りは、時計方向に前進、右横一歩・二歩前進・一歩後退、一歩前一歩後、一足毎に足をそろえる。手拍子はトトトンの時に一回一つで、囃言葉は「ヨイトコセードッコイセー」「サラヨヤサノサーヨーイヤナー」、楽器は大太鼓のみ(平田正典『石見の盆踊り』、一九七七)。

善太郎口説きは戦前利尻島でも歌われていたらしい。利尻の住民のほとんどは北陸や出羽の出身で、真宗門徒である(『妙好人有福の善太郎』:一六四)。北前船以来の日本海航路のあった時代、山陰や北陸から北海道は決して遠くなかった。一九〇二年生まれのうちの祖父が小樽商科大学に進んでいるのも、現代人はよくぞまあとこそ思え、そのころは東京などよりよほど近かったのかもしれない。

八

小浜厳島神社のお日待はもと旧暦一月一四日夜に行なわれ、太鼓を叩きながら町中を「ネータラオコセ、オーコセオコセ」と呼ばわって回り、拝殿では子供たちが「オージヤオージ、ゴロサンノオージ」と叫んで床板を踏み鳴らす。これは、昔小浜の神様に五人の子があったが、末弟五郎の王子は気が荒く、神様は四人の兄には領地を与えたが五郎には何も与えなかった。五郎の王子は怒って家々の戸を叩き大声を張り上げて夜も寝ずに飛び回った。それから五郎を荒神として祀り、火難除けとしたという伝説に基づく（『温泉津町の伝説』）。これは石見神楽で最も重要な演目とされる「五龍王」が伝説として入り込んだものであり、その筋立ては、大王が四人の息子に東西南北、春夏秋冬、木火金水を分け与えるが、大王の死後に生まれた五郎は何も与えられなかったので、四人の兄と争いになり、博士の仲裁により兄たちから土用の分を得て収まるという話である。もとは土公祭文で陰陽師の説くところだったようだが、神楽を経て習俗にまで浸透していたわけである。これを「農民の哲理」と評す人もいる。

石見といえば石見神楽だ。神楽はもと神職が勤めていて、近隣の神職と神楽組を作って奉納していた。たとえば明和八年（一七七一）上津井での大元神楽では、注連主に波積の神職郷原氏がなり、井田長尾氏・湯里原田氏・福光森山氏などの神職一〇人が参加している（山路興造

「大元神楽の性格とその変遷」、『邑智郡大元神楽』、桜江町教育委員会、一九八二)。大元神楽では神憑りし託宣をすることも神楽の重要な一部であった。それは七年や十三年に一度行われる式年神楽であった。

今日の石見神楽の隆盛を招いたきっかけは、明治三、四年ごろに出されたという神職演舞禁止令と神憑り禁止令である。神楽舞を禁止された神職は、農民町民に神楽を教えた。浅井の田中清見が細谷社中に、市山の牛尾菅麿が井沢社中に教えたように。しかし、そのように伝習を受ける前から、民衆は舞いたがっていた。江戸時代末期、天保の初年に浜田藩は村の若者が舞うのを禁止したというが、禁じられたというのはつまりそれがしばしば行われていたということだ。神職に対する禁令によって、言うならば虎が野に放たれた。伝承に何の苦労もいらず、舞い手囃子方希望者が女性を含む若者に絶えず、俗化ショー化のそしりもものかは、石見の人々を引きつけてやまない現代の石見神楽の隆盛をもたらしたのは、愚かしい明治の神道政策とその禁令であった。神職演舞禁止令のほうは守られることによっていわば神楽を水を得た魚にしたわけだが、神懸り禁止令は山中の村で守られずに、こっそり続けられた(八戸、山内など)。上の政策に対し下の対策の両様が見られると言っていい。明治は神楽がそれを愛する者の手にゆだねられた再生の時であったと言える。一番の人気演目「大蛇」の蛇胴はそのころ考案されたし、面も重い木面から軽くて舞いやすい和紙面となるというふうに、創意工夫が重ねられた。調子も速くなった。「アマチュア」の原義にそむかず、舞い手は愛する人でありつづけ、愛する人のもとで神楽は人気をいや増す。石見人は石見神楽を誇るが、石見神楽も石見人を誇るべきであろう。

九

日本の国土の四分の三は山である。海辺から少し入れば山ばかり。その山にはよほどの奥でない限りどこでも人が住んでいて、「文化生活」を営んでいた。かつての日本を下からしっかり支えていたなつかしい村里は、今や「限界集落」なるものになってゆきつつある。猿や鹿、猪に領分を譲り渡しつつある。裏山からの落石によるのであろう、幽蘭さんの墓碑は倒れ欠けていた。かつての私塾の後身である分校はとうに廃校、句額を納めた寺は廃寺。うかうかすると失われてしまうことを本気で案じなければならないこの時代に、それをしるしておくことは無駄ではなかろう。

失われるものにはすべて理由がある。真理である。だが、その真理の向こうに、父母を、そのまた父母を、そのまた父母、父母、父母たちを慕う心がある。事績を尋ねる所以である。

さてさて、幽蘭女史にいざなわれた村里文化たどりも、まずこれまでよ。

（資料として特に『大浜村誌』、『温泉津町誌』下巻、『江津市誌』下巻、ブログ「私の生まれ育った温泉津町・飯原」（https://geolog.mydns.jp/www.geocities.jp/elblanco_43：半田武晴氏）を参考にした。父と瀧光寺新治弘念師の調べの引継ぎである。）

能海寛の非命と栄光

ちょうど一九世紀から二〇世紀にかわるころ、当時鎖国のチベットに入り込もうとしていた四人の日本人がいた。河口慧海・成田安輝・寺本婉雅と、石見国は波佐村出身の能海寛（のうみ ゆたか、一八六八—一九〇一?）である。俗人（クリスチャンであった）の成田以外はみな僧侶で、河口は黄檗宗、寺本と能海は真宗大谷派、「西方取経」を志す「今西遊記」の人々であった（「西遊記」ぶりは、まさに玄奘の道西域タリム盆地を行くいわゆる大谷探検隊でピークに達する）。

能海の入蔵行を簡単な年表にすれば、次のとおりである。

明治三一（一八九八）年一一月一二日　出発
明治三二（一八九九）年　一月　八日　重慶着
　　　　　　　　　　　四月　一日　重慶出発（四川ルート）
　　　　　　　　　　　五月一二日　打箭炉着
　　　　　　　　　　　七月　八日　打箭炉出発　六月二七日に打箭炉に到着した寺本婉

雅（日本出発一八九八年七月二日）とともに
八月一一日　巴塘着　進蔵をはばまれる
一〇月―翌年五月　打箭炉滞在
明治三三（一九〇〇）年　五月一七日　打箭炉出発（青海ルート）
*七月　四日　慧海チベット入り（日本出発一八九七年六月二八日）
七月一五日　丹噶爾着　賊難にあい、重慶に引き返す
一〇月　四日　重慶着
*一二月　寺本、北京でチベット大蔵経入手
明治三四（一九〇一）年　二月二一日　重慶出発（雲南ルート）
*三月二一日　慧海ラサ入り
四月一八日　大理から最後の手紙を送る　翌日出発、以後消息不明
*一一月一二日　成田チベット入り　一二月八日　ラサ入り
*明治三八（一九〇五）年　五月一九日　寺本ラサ入り

出発以来二年半を落ち着かぬ旅の枕に暮らしたが、重慶に二回、計七ヶ月ばかり過ごしたほかに、打箭炉にも前後九ヶ月を送っている。能海の入蔵行は、最初のアタックで同道した同門

の寺本婉雅と対照するとよく理解できると思う。

明治・大正期に入蔵した日本人七人のうち、いちばん知られており人気があるのはもちろん河口慧海だが、それに次ぐ、と言ってもいいのではないか。成田安輝や矢島保治郎の名はほとんど知られておらず、寺本婉雅は忘れ去られている。多田等観・青木文教の両僧（ともに真宗本願寺派）と並べても、知名度では劣るにせよ、人気なら能海のほうがあるいは勝るのではないかと思われる。この七人のうち、ただ一人チベットの内地に入ることができず、その目前で命を落とした人、つまり「失敗者」でありながら、研究会が組織され、著作集（全十四巻・別巻三巻、うしお書店）が刊行されつつあるというのは異常である。伝記も書かれているのだ。

黒龍会『東亜先覚志士記伝』の入蔵僧の扱いがおもしろい。河口慧海はわずか二行で触れられるだけで、能海には五ページが割かれているのみならず、列伝の部にも略伝が掲げられる。黒龍会などに賞賛されなくても不名誉ではなく、むしろその逆かもしれない。列伝中に「スパイ」成田安輝と並ばなくとも大事ない。しかし、寺本婉雅をとってみると、彼は純粋な仏教研究よりもむしろ国事に奔走するのを好んでいたように見え、黒龍会の主義に重なる部分が多かったはずで、実際本文中彼の活動に能海以上の紙幅を割いているが、なぜか列伝には名前がない。入蔵も大蔵経将来も果たし、大ラマ阿嘉呼図克図を日本に招いたり、ダライラマと本願寺連枝大谷尊由の会見を設定するなどした彼よりも、ナイーブな仏教学徒で、しかも目的を果たせず犬死にしただけと言えば言える能海のほうが高く評価されているのは、奇とするに足る。志をもって人をはかるならば、こういうことにもなるのだろう。

心ある人は能海を惜しむ。彼が雲南の奥地へと旅立ち、消息を絶つ前の最後の手紙がその理由の一端を示す。胸を打つものがそこにある。

「今や極めて僅少なる金力を以て深く内地に入らんとす、歩一歩艱難を加へ、前途気遣はしき次第なれど、千難万障は勿論、無二の生命をも既に仏陀に托し、此に雲南を西北に去る覚悟なり、重慶より連れて来りし雇人を当地より重慶に返すに当り内地への書状を托す、今後は多分通信六ケ敷かるべし、明日出発、麗江に向はんとす、時に明治三十四年四月十八日なり」(『遺稿』二〇〇頁)。

この調子の高い告別辞のあとのぷつりと切れた空白が、人に思い入れの余地を与える。もし入蔵に成功していたら?「高楠順次郎がインド学に貢献したように、日本のチベット学を大きく変えていたかもしれない」(山口瑞鳳(＊1))。「嗚呼、君をして留蔵数年ならしめば、其の学の造詣と、国家社会に貢献せらるゝこととは、実に測るべからざるものありしならん」(太田保一郎、『遺稿』一頁)。まぎれもない「成功者」で、最終的には大谷大学教授となった同志寺本婉雅が今日忘れられていることを考えれば、それは過大な思い入れである可能性のほうが高いのだが、それにもかかわらず、そう思わせてしまうものが彼にはある。消息不明になったあとに伝えられた話、賊に襲われ死を覚悟した能海が、人家の壁に辞世の歌を書き残して殺されたた云々の「伝説」は、すぐに否定されたものの、そんな語りを誘発するものが彼の側にあったことを示している。

明らかにチベットを見下していた慧海や寺本と違い、能海はチベットに正当な尊敬の念を抱いていた。これがチベットを愛する人々の間で能海に好意が寄せられている理由である。ひどい扱いを受けた裏塘のラマたちのことは罵るが、すぐに元の自分に返る。「同人間には、能海君といふよりは、寧ろ「西蔵」といふ方が通りのよかった位」(＊2)だった彼に。打箭炉で取経訳経に日を送っていたときの書簡中のよく引かれる次の一節に、彼の真骨頂がうかがえる。

「支那人は多く西蔵人を蛮家々々など称し候へども、今彼西蔵人の用ふる真行草隷の書、及干殊爾、丹殊爾の翻経を見れば、西蔵の文字は一千三百年前印度字より製作せられたるものにて、更に他国の文字を借ることなく自在に文章を書き顕したり、経典は一千乃至一千一百年前頃既に自国の語に翻訳せられて、少しも他国の言語文字を借りたることなし、我日本の如きは人口は西蔵の十倍以上を有し、長き歴史を有するにも関らず、文字といへば片仮名平仮名のみ、これとても大半は漢字により、漢字にあらずんば完全に文章を形成し完全に意志を表出するを得ず、仏教盛なりと雖日本文の経典とては七千余巻の中、一部半部一巻半巻一品半品もあらざるなり、予は実に日本の学者日本の仏教徒に対して大々的不平を有せざるを得ず、美しくかゝれたる（元来美なる）西蔵文字の経典を見て、予は実に羨望に堪へず候」（『遺稿』一一一頁以下）。

彼こそがチベットに入り学ぶべき資格を第一に有していた人なのに、その彼のみが成功しない。世の中にままあることながら、感慨なしとしない。

純粋さ真摯さが彼の魅力で、スパイそのものである成田はもちろん、河口や寺本とも違いがある。金を盗まれ舞い戻った重慶で、領事館に預けておいた四八両の金を受け取ろうとしたら、それを上海から運んでいた船が沈没したために、長江の底に沈んでしまった。不運続きの能海が、青海での賊難と合わせ、一〇〇両あまりを失って困窮しているとき、領事はそれを自弁で調達してくれた上、能海の雲南への出立を外務省に報告した文中に、「同僧が単身飄然辺彊行路の艱苦を意とせず再三其目的を達せんとする熱心に至っては頗る称道するに足るものと存候」と付言したのも（＊3）、彼の姿勢が人に訴えるものをもっていたからであろう。

入蔵のために乗り込んでいったインドや中国でようやくチベット語を学び始めた河口寺本と異なり、能海は日本ですでに勉強に励んでいた。逆にそのことが彼の失敗と二者の成功を分けたかもしれないが。言葉は現地で学ぶに限る。現地で準備に時間をかけた（成田を含む）三人と、日本でいくらやったとて不十分でしかないのに、ひたすら直行しようとした能海。かえって仇になることは世の中に多い。けれどその勉強ぶりはほめられてよい。たとえば、出発直前の明治三一年一〇月九日、入蔵を目指してダージリンで準備しながら果たせず帰国した川上貞信と京都で会っている（「渡清日記」）。そのときウォデルの『チベット仏教あるいはラマ教』について教えてもらったらしく、出版年出版社までメモしている。打箭炉からの手紙でウォデルのボン教解釈に触れているところから見ると（『遺稿』一一一頁）、それまでに読んでいたのだろう。出発まであとひと月と迫ったあわただしい中でも勉強を続けていたわけだ。南条のもとでは梵語の学習も熱心に行なっていた。南条の梵文大蔵経講義を受けており、また『枳橘易土集』附録をせっせと書き写している（明治三〇年日記）。これは江戸時代の慧光の編んだ梵語字典で、おそらく哲学館講義録仏教部第一輯として明治三八年に刊行されたものの下請け仕事であろう。

貧乏書生のこととて、専門書を購えたわけではなく、もっぱら人に借りて勉強していたようだ。彼自身の覚書によると、

「チョーマー氏『西藏文典』英書、右真宗大学図書課藏書第百参号①
ヤシュケー氏『藏英字書』英書②
エメギントウヰト氏『西藏仏教』英書③
『西藏史文学等』英書④
アンナルス・ツー・ミュージー・グィメット『西藏大藏経目録（第二巻）』仏書⑤」（＊4）

②（H. A. Jäschke: A Tibetan-English Dictionary. 1881）は、師南条文雄から借用し、中国へも持って渡った。①（Csoma de Körös: A Grammar of the Tibetan Language. 1834）からはその付録「西藏国歴史年表」「西藏国所伝釈尊入滅考異説」を訳し、③（E. Schlagintweit: Buddhism in Tibet. 1863）の一部を「西藏喇嘛教の分派」（『反省雑誌』一一―八、明治二九年）で、⑤（Annales du Musée Guimet, tom. 2. 1881）を「西藏国大藏経総目録」（『東洋哲学』五―三、明治三一年）で使っている。慧海がダージリンで世話になるチャンドラ・ダスの「西藏新教の開祖ツヲンクハパの略伝」を翻訳してもいて、明治二九年から三一年の間に矢継ぎ早に発表されたこれらの「南条ゼミのレポート」から、孜々として勉強に励んでいるさまがうかがえ

る。④の原題は不明。

しかしながら、よく勉強はしていたが、視野が狭くはなかったか。読み方が足りていないように感じる点がいくつかある。

同じ真宗大谷派の先達で、明治六年中国に渡って仏教事情を調べ、上海に本願寺別院を開いた小栗栖香頂は、帰国して『喇嘛教沿革』を著した（明治一〇年）。彼に能海は論経を習っている。『喇嘛教沿革』はもちろん読んでいたに違いない。香頂は北京雍和宮の洞闊爾呼図克図にチベット語を学び、チベット経典も一二得ている。いわゆるラマ教、チベット仏教は、単にチベットにとどまらず、モンゴル人や満洲人にも信仰されていたこと、その寺院はモンゴルや中国本土にもあり、経典もまた蔵していること、チベット僧（ないしチベット語のできるモンゴル僧）がその寺院にいること等々の情報がこの書から得られるのだが、能海はこの可能性を考慮していない。もっぱら欧人に学ぼうとしているように見える。香頂の開いた道をたどったのは寺本で、彼は同じく北京で雍和宮の僧侶にチベット語の手ほどきを受け、北京のラマ教寺院からチベット大蔵経を得、呼図克図についてモンゴルを通って青海クンブム寺へ行き、そこからモンゴル僧の一行にまじってラサ入りを果たしているのだ。

また、蔵英辞典・蔵語文典を著し、西洋のチベット学の祖と仰がれるハンガリー出身のケーレシ・チョマ・シャーンドル（アレクサンダー・チョマ・ド・ケーレス、一七八四—一八四二）という学者がいる。能海は彼の文典を独習しており、その付録から翻訳を行なっていた。細かいことだが、彼の名前の表記を追ってみると、興味深いことがわかる。その最初の翻訳「西蔵国歴史年表」（＊5）では、彼の名を「クソーマ」としている。Csomaという表記なのだから、そう読むほうが自然であって、ハンガリー語の正書法を知っているか（そんな日本人は当時ほとんどいなかったろう）、正しい読みを聞いて知っているかしなければ、実際の発音はわからない。能海以外でも、『明教新誌』に載った「吾人の北方仏書を知得したる由来」（明治二六年一月二八日）は「ソマ」と書いている。当時留学中の友人高楠順次郎は、能海の文を読んでか、正しくは「チョーマ（クソーマに非ず）ド、クルシー」であると指摘した（＊6）。ヨーロッパのインド学者チベット学者と交わっていればこそわかることで（さらに正しくは「チョマ」だけれど）、それを受けて、翌年の「西蔵国所伝釈尊入滅考異説」（＊7）では能海は「チョーマー」と記している。たとえイギリスにあったとて、学界と無縁に独学していた南方熊楠は「クソマフガス」（クソマケリス？）と読んでいたのだから（＊8）、能海の表記を云々するのは重箱つつきのように見えるかもしれないが、しかし彼はそのころ南条文雄の家に住み込んでおり（チョマの文典も師から借り受けていたのだろう）、その南条は「チョーマ」と読み、そう論文に書いていること（＊9）を考えると、能海の勉強のしかたについて、師匠からの学びようについて疑問がわくのだ。このチョマは、ラダックの僧院でチベット語と経典を学び、カルカッタで辞書や文典を刊行したのち、ラサへ行こうとしてその途上で病没した人である。チベット内地には結局足を踏み入れなかった点で能海と似ており、だから高楠は「遺稿」の序文で能海を「チョーモ」（ここではそう書く）と並べ称した。しかしながら、文典を読み翻訳もしているのに、チョマから学ぶべきもっとも重要な教訓をそこから得ることがなかった。チベット内地に入らなくてもすぐれた研究はできるのだということを。

すでに明治二六年刊行の自著『世界に於ける仏教徒』において、「西蔵国探検の必要」に一節をあてていた能海。彼の入蔵行の目的は二つあった。

（1）チベットに入ることそれ自体

（2）チベット仏教を学び、経典を将来する

けれども、1と2は一体のものではない。1を達成すれば2は容易になるだろうが、その成就を保証するものではないし、2を実現するために1が必須の前提になるわけでもない。現に寺本婉雅は、大蔵経を北京で入手し、青海のクンブム寺（タール寺）でチベット仏教を学び、

そのあとでラサ行きを果たしているのだ。ネパールに道をとった河口慧海は、かりに入蔵できなくとも、ネパールで梵語経典を集め仏跡を訪ねるなど有益な仕事ができるという目算があった。わが石見人は戦略に乏しいと評されてもしかたがない。

ふたつの目標とも、限定的には達成している。鎖国をしているダライラマのチベットを小チベット、ないしチベット内地とし、その周辺のチベット人居住地域（四川・雲南・青海のチベット人地域やラダックなど）を含めたものを大チベットとすれば、大チベットには足を踏み入れているので、寺本とともに、「初めてチベットに入った日本人」と言えるかもしれない。しかし彼の目的地はあくまでチベット内地であり、目標を達成したとは自身全然思っていなかった。経典も、手に入ったものは逐次日本に送っていたし（「賢功経」上巻二二〇葉・下巻二三八葉、「賢功千仏名経訳経」三五八葉、「聖金光明之帝王大乗経」二二一葉、「八千般若」上巻二〇四葉・下巻二〇〇葉など）、訳経もいくつか試みていた。「金剛経、般若心経、外二部西蔵経文直訳」を明治三三年五月に本山へ送っているが、『能海寛遺稿』に載せられた「般若心経西蔵文直訳」以外の稿本は紛失したという（「遺稿」一九五頁。寺本の言うとおり、惜しみても余りある）。だが、ラサ一番乗りを果たし西蔵事情を生き生きと伝えた慧海の『西蔵旅行記』や寺本のチベット大蔵経将来という輝かしい成功の前では、いくつもの限定辞句を並べてやっと評価される業績は、昼間の蝋燭のようなもので、そこに能海伝の真価があるわけではない。

失敗の理由はいくつか考えられる。

短気であったらしい。門出にあたって父から「堪忍大事なり」と言い聞かせられていたのだが、裏塘から巴塘までの道中、怠慢目に余る同行兵士を殴っている。殴られた男が石をもって報復しようとしたのを寺本が仲裁したが、彼がいたからよかったものの、一人だったらどうなったろうと案ぜずにはおられない。日記からも感情の起伏が激しいのがわかる。若さという言い訳を顧慮しても、探検には向いていないと断ぜざるを得ない。

能海は異貌の持ち主だった。いわく「巨眼豊頬の容貌」(寺本、『遺稿』一五三頁)、いわく「氏風貌奇古、円面にて漆黒、眼孔深くくぼみ、爛々巌下の電の如し、一見尋常人に非ざるを知るべし」(梅原融、『旅人』一六頁)。研究室や事務室での仕事などと違い、探検は全身的営為である。もし筆者がスパイの元締だったら、能海が応募してきても不採用にするだろう。チベット知識や熱意がいくらあっても、モンゴル人や漢人に見えなければ、とても潜入はおぼつかない。彼はもちろんスパイではないが、潜入を試みた点では同断で、彼のあの顔が不利に働いた場面はあったのではないかと思う。

性格も外見も、そもそもこの仕事には不向きであった。

そして、性急に突入をくりかえした。ひとつのルートがだめならその次、またその次と。しりぞいて時期を待つことをしなかった。そのことを成功した三人は辛抱強くやっている。この点で成功者と失敗者の行動は対照的で、後進に成功の要諦を知らしめている。思うに、能海は待たされすぎていた。それが性急さの一因であろう。「予ト西蔵」の中で、自身入蔵を決意したのは明治二五年一二月だと書いている。明治二七年一月三日には檀家にあて「口代」なるものを書いて西蔵探検の決意を述べ、二月二七日には髪を切り、「予無事帰国せば吉祥也若し業のために死さば、遺体と思ひ御葬送を仕乞ふ」と書き置いているのであるが、同年八月勃発した日清戦争のため、それから四年旅立ちを待ち続けなければならなかった。

能海は決してチベット一番乗りは目指していなかった。明治二一年東温譲がインド留学に行くとき、送別会で彼に入蔵の必要を説いているし、川上貞信が蔵行を企てているのを知ったとき、もしこのことを早く知っていたら自分みずから行こうとは思わなかったかもしれないと漏らしている(「予ト西蔵」)。慧海が自分よりずっと早く日本を出たことも知っており、だから明治三二年三月頃、彼が入蔵に成功したとの報(誤報であったが)に接したときも、「川口慧海氏印度より入蔵之事、何より以て仕合に存候。多分布達拉に於て面談被致事と存候」(『遺稿』

四九頁）と平静に受け止めている。だが一方で、入蔵は義務だと思っていたのであろう。雲南ルートもだめなら、インドへ回るつもりだったらしい。彼は東本願寺からの公的派遣であり、本願寺法主からのダライラマあて親書を持っていた。私費で入蔵をはかっている寺本や河口を横に見た場合、公費派遣の自分の使命を強く意識せざるを得ないことは、容易に想像できる。あくまで第一の目標にこだわり、それが結局命取りになった。

打箭炉でラマ僧になるか、寺院に入れずともじっくり腰を落ち着けて取経訳経をしつつ時を待つ、というのが考えられる最良の選択であった。実際、前に半年それをやっているではないか。成田安輝は明治三二年四月、能海・寺本の出発に先立って領事とともに打箭炉へ行っているが、そのとき打箭炉の庁長と会談し、入蔵はむずかしい、当地でラマ僧になり言語を研究すればあるいは進蔵することもできるかもしれないがなどと言われている（＊10）。成田にはできないけれど、能海にはできたことだ。

明治三三年一二月二日付の重慶からの寺本あて書簡に、打箭炉へ行くつもりだったが、引き止められ、翌春雲南へ向かうことにしたと書いている（『遺稿』一三八頁）。打箭炉へ行くというのも、ただ経由地とのみ考えていて、デルゲの方面に向かおうとでも思っていたのだろうが、しかし半年を過ごした打箭炉には土地勘があり、情報も得やすくなっていただろうし、すぐに進めないとわかれば腰をすえることにしたかもしれない。訳経に日を送っていれば、土地のチベット人の信頼もかちえただろうし、そうすればいろいろな可能性が見えてきたのではないかと思う。ここが運命の岐路であった。だが神ならぬ人の身が、そこが岐路だったと気づくのは、もう戻れないほど行き過ぎてしまってから、すべてが終わってしまってからである。

重慶出立の前日（二月二〇日）南条文雄にあてて、「兼て借用の西蔵字書は大事に致し用ひ候へ共、今回の旅中は甚だ案じ居候間、若し欧洲に於て得らるゝ事に候へば、本山より一部御購求相成事は叶不申儀に御座候哉」（『遺稿』一五〇）と書いている。つまり、重慶を出発した時点では辞書を持っていたのである。そのイェシュケの蔵英辞典は今波佐にある。彼が最後に携えていた荷物は遺体とともに失われているのだから、どの地点かで後方に送り返しているのだ（おそらく大理で重慶から連れてきた雇人を返したときであろう）。チベットに入れば、辞書こそがいちばん必要になる。なのになぜ送り返したのか。荷物を極力少なくするためでもあろう、英語の書物が疑いを招きやすいことも考慮したのかもしれない。そして、手紙で漏らしていたように、借りたものが返せなくなる事態を懸念もしていて、これがいちばん大きかったのではなかろうか。この旅は五分五分よりだいぶ分が悪いと、予感もあり覚悟もしていたのであろう。身辺整理をし、「不惜身命」と書き置いて、西北の奥地へと歩を進めた。その後姿に、明治三二年元旦、長江を遡る船旅の途上で詠んだ歌を重ねて、この求法僧を送ろう。

月も日も我身も西に入りてこそ東のそらにまたのぼるなれ

失敗にはむろん理由がある。だがそれを指摘するだけなら、単なる空しい後知恵だ。能海の失敗は、失敗をしたことのない人が難ずればよい。その入蔵行は決して愚かな行為ではなかったし、仮にもし愚かなら、なおのこと愛される資格がある。畳の上で大往生するだけがいい死に方ではない。多くの人に愛惜される能海は、正しく死んだと言っていいのではないか。そして、正しく死んだ者は、正しく生きたのである。出発直前に結婚したばかりの夫人を寡婦として残したことだけはほめられないけれど。

参考文献および註：

『能海寛遺稿』、五月書房、一九九八（原著：一九一七）（『遺稿』）
江本嘉伸『能海寛 チベットに消えた旅人』、求龍堂、一九九九（『旅人』）
隅田正三『チベット探検の先駆者 求道の師能海寛』、波佐文化協会、一九八九

寺本婉雅『蔵蒙旅日記』、芙蓉書房、一九七四

＊1：山口瑞鳳『チベット』上、東京大学出版会、一九八七、七五頁。

＊2：米峰「能海寛君を悼む」、『新仏教』六—九、明治三八（一九〇五）年、六六八頁。

＊3：木村肥佐生「成田安輝西蔵探検行経緯」資料編1、『亜細亜大学アジア研究所紀要』一三、一九八六、二八頁。

＊4：岡崎秀紀「能海寛・文献紹介（未定稿）」、八頁。

波佐にある『西蔵文典』①を見ると、表紙に「第百参號／西蔵文典」と朱書、さらに「本願寺／能海寛」とあり、裏表紙には「光緒二十五年五月十六日」と墨書してある。これが借物であったのは明らかだが、後述のように、同様に南条からの借物である②については返却方に苦心している能海が、こちらについては返却を案じた形跡がない。それは、貸与から供与に切り替わって、自分のものになっていたからではないか。光緒二五年（一八九九）五月一六日、彼は打箭炉にいた。そう入蔵へ出立する彼へのはなむけとして、本山が贈与してくれたのではないかと想像される。そう考えれば、「本願寺／能海寛」という署名には本山からの派遣であり贈与であるという誇りがうかがえそうである。

＊5：「西蔵国歴史年表」、『仏教』一一五、明治二九（一八九六）年。

＊6：高楠順次郎「西蔵語及び巴利語の研究に就て」、『反省雑誌』一一―九、明治二九（一八九六）年。

ちなみに、チョマが没した土地ダージリンに滞在して入蔵の準備をしていた河口慧海は「チョーマー」と書いている（『チベット旅行記』第八九回）。

＊7：「西蔵国所伝釈尊入滅考異説」、『仏教』一二八、明治三〇（一八九七）年。

＊8：明治二七年三月一九日付土宜法竜宛書簡、『南方熊楠全集』七、平凡社、一九七一、三〇二頁。

＊9：南条文雄「仏涅槃年代考」、『向上論』所収、東亜堂書房、一九一四。初出：『令知会雑誌』八・一三・一四・一五、明治一七・一八（一八八四・八五）年／『教学論集』一五、明治一八（一八八五）年。

この中で南条は、のちに能海が訳すチョマの西蔵文典付録の釈尊入滅年代の部分をすでに抄出している。

＊10：木村肥佐生「成田安輝西蔵探検行経緯」上、『亜細亜大学アジア研究所紀要』八、一九八一、六八頁。

「探検」論、あるいはユーラシア交通史の中の能海寛

「探検」というのはなかなかに人の心を騒がすことばである。能海寛も「チベット探検家」とされることにその人気の大きなよりどころがある。だが、能海をよりよく理解するためには、この「探検」をはぎとってみる必要があるだろう。

初めて大西洋を渡ったり、南極のような人跡未踏の地に足を踏み入れたりするのは、なるほど「探検」である。だが、人が住んでいる土地に出かけて行って、何が「探検」だろう。「探検」については、こういう真理がある。「文明人」が行なえば「探検」になる（「発見」もそう。昔のヨーロッパ人の書いたものを見ると、日本も彼らによって「発見」されていたりするからね。「発見」とはそういうことだと肝に銘じておかねばならない）。それが「探検」であるかどうかは、それを行なった者が「文明人」であるかどうかかどうかによって決まる、という資格の問題なのだ。ホップカークの『チベットの潜入者たち』（白水社、二〇〇四）は一九世紀後半にラサ一番乗りを競う「探検家」群像を描いているが、その中で著者は、欧米人に先立ってラサ入りを果たした河口慧海について、「彼は厳密な意味でこのレースの勝者と言うこ

とはできない」などとコメントする。外見上宗教上白人より有利だから。つまり白人のレースなのである。みずからを「文明人」ともって任じる日本人は、もちろんそうは思わない。西洋人に先んじた慧海の「偉業」を割り引くべき理由はないと考える。では、ダスはどうだ? ドルジェフは?

慧海がそのもとでチベット語を学んだダスはベンガル人で、紛れもないイギリスのスパイであった。一八八一年にラサ入りを果たす。インドに帰ってのち蔵英辞典を編んだ。ロシア帝国臣民であるドルジェフはブリヤート人の高僧で、一八八〇年にラサに来て、慧海の潜入当時もそこにいた。僧侶として重きをなしたが、欧米では一貫してロシアのエージェント扱いをされている。国籍こそロシアであったかもしれないが、モンゴル人仏教僧としてなんら問題なくラサ入りでき、僧として生きたドルジェフはたしかに「探検家」とは言えない。だがダスを「探検家」と見なすさまたげになるものは、彼がアジア人であるという点にしかない。

同じことがブリヤート人のツィビコフ、カルムィク人のノールジーノフについても言える。ウラジオストク東洋学研究所のツィビコフは、モンゴル僧の巡礼団に紛れて一九〇〇年にラサに達した(薬師義美『大ヒマラヤ探検史』、白水社、二〇〇六、神戸応一「中央亜細亜及拉薩に就き」『地学雑誌』一八三号(一九〇四))。ラサ入りが一九〇一年である慧海に先立っている。それより前にもロシアからは使節が来ていたらしい。（これに限らないが、西欧や日本の研究ではロシアが盲点になっている。ホップカークもプルジェワルスキーしか取り上げていない。ロシアの活動は正当に位置づけられなければならない。）

しかるべき報告をするというのが「探検」の要件のひとつで、この点でたとえば矢島保治郎などは「探検家」資格が失われるが、当然のごとく学会で報告しているツィビコフがどうして「探検家」でないことがあろうか。

慧海を「レースの参加者」と認めれば、このように参加者はどんどんふえていって際限がなくなる。だから日本人慧海を含めて白人以外をカテゴリー的に拒絶するというのはそれなりに合理的だ。だが、そんな「合理性」って？ 民族的出自によって、あるいはもっと露骨に、帝国主義国家の完全な成員であるか否かによって「探検家」としての認知が左右されるのはおかしいし、そういうシステムは全体として無効である。

「探検」には二種類がある。「地誌探検」と「極地探検」だ。後者は人の住まない（住めない）地を踏破するスポーツ的なものであるのに対し、前者は「地図（彼らの地図）上の空白」を埋めるために行なうので、その仕事は要するに情報収集であり、つまり「スパイ」である。その任に当たる者に軍人が多いこともそれを示す。「隠密」間宮林蔵を見よ。「探検家」は「スパイ」の美称であり、「スパイ」は「探検家」の蔑称であるという関係だ(だいたいにおいて、自国の「スパイ」は「探検家」と呼び、敵国の「探検家」は「スパイ」と呼ぶことになっているようだ)。

大谷「探検」隊はかつての暴君の都ブハラ駅で日本人に会っている。能海も旅の途上で同じようにチベット行きを企図する日本人とすれちがっていた。すでに鉄道網が形成されていたあの時代、中央アジアの「探検家」たちがしたことは、極言すれば鉄道のない土地を旅したというだけのことだ。イザベラ・バードの『日本奥地紀行』と同じである。もちろんあれは「大旅行」ではあっても「探検」ではない。ならばほかも同じだ。明治日本なら「探検」でないものが、大清帝国なら「探検」だというのは妙な話ではないか。

現代はテレビ局とタイアップした「探検家」たちの時代となった。われわれは犬橇をあやつる「探検家」を空撮したテレビ画像を見ることになる。「探検」の果てである。「探検」であるためには、そこが「危険」でなければならない。「野蛮」でなければならない。ジャーナリストと同じだ。「危険」を売る商売なのだ。まっとうに生活する土地の人々をおとしめて金を得る、かなりまっとうでない行為なのである。「売名」臭もぷんぷんだ。それが能海の時代のチベットでもそうであったことは、ホップカークの本に出るランドーその他の者どもの行状から明らかだ。「探検家」はいつも商人のあとから行く。観光客にはむろん先行するが、その意味では「最初の観光客」であるに過ぎない、と言ってもいい。「鎖国」のチベットには外国商品がいろいろ入っていた。ラサ入りした慧海や成田安輝が見たのは日本製のマッチであり、ヘディンがもしラサに到達することができたら、そこで売られているスウェーデン製のマッチを手にしたはずだというのがそのあたりの事情を象徴している。チベット人や漢人のほかにも、カシミール人・グルカ人・シッキム人の商人がいたのである。

一七世紀にキリスト教徒のアルメニア人がラサで商業に従事していた記録がある。イスラム教徒のカシミール人と共同体を作っていたそうだ。チベット学の祖チョマはアルメニア人に扮して旅をしていたことが思い起こされる。商先学後である。

歴史とは交通史であると喝破したのは宮崎市定である。人間の住むところ、商業に限らず、宗教的（修行や巡礼など）・政治的（使節や亡命など）な往来や流民・移民の波は絶えることがない。能海は、四川ではグルカ使節団のあとを進んだし、青海では商隊について入蔵を考えた。寺本婉雅は青海からモンゴル人巡礼団にまじり、成田はシッキムから中国人商人に扮してラサに至った。「秘境」の名を枕詞のように冠せられるチベットにも、旅人は常に往来していた。見てくれがちがいすぎ、紛れて潜入することのかなわぬ欧米人は力まかせに押し入るしかないが（外見についてはお互いさま、ユーラシア西半では逆に日本人は扮装がきかぬ）、日本人は通行する人々の群れに掉さしてチベット潜入を図った。紛れ込みを許すだけの交通があったればこそできたこと。交通あっての「探検」だ。交通史こそ主であり、「探検家」は従なのである。

青海・四川・雲南ルートを試み、ビルマからインドに出るルートも真剣に検討していた能海の旅路は、チベットをめぐるユーラシア交通史を浮かび上がらせる。この方面から能海を研究する、あるいは能海の旅を通じてユーラシアの交通を語るという視角もあっていいし、それは豊かな収穫を約束するもののように思える。

また、チベット大蔵経の将来というのが入蔵熱にかられた青年僧たちの大目標であったが、それが初めて日本にもたらされたのは北京の寺からである。清という多民族帝国の本質を考える手がかりのひとつがここにある。

ユーラシア大の視野で見れば、一能海、一寺本の身の丈いっぱいの右往左往が、正しくそのあるべき位置において眺められるはずである。われらはかない死すべき者どもの営為を正しく測るのが、天上からの視点であるように。

入蔵熱の周辺

一九世紀の後半、「イギリス人国境官吏のあいだでは、目と鼻の先にあるこの謎めいた禁断の国に行きたくなるのが、一種の「職業病」にさえなっていた」(＊1)。当時厳しく鎖国していたチベットは、鎖され謎めいていればいるだけ、先進諸国の冒険心に駆られた人々の征服欲をそそっていた。一九世紀の前半までは、稀とはいえヨーロッパ人でラサに達した人も時折いたが、この世紀の後半になると、ラサは神秘のベールにつつまれた「禁断の都」になっていた。ホップカークの書は、そこへの一番乗りを目指す欧米の冒険家群像を活写している。

欧米のそれと呼応するかのように、当時の明治日本にも入蔵志願者が突如群れをなして現われた。ただし、帝国主義的勢力拡張の争いであるヨーロッパ人たちの「グレート・ゲーム」に対し、本邦人のは西方取経を念願とする「今西遊記」であるという違いがある。成田安輝を除き、あとの入蔵志願者はみな僧侶なのである。これら青年僧の異様な「入蔵熱」の元をたどれば、南条文雄・小栗栖香頂とその背後の石川舜台に行き着く。明治六(一八七三)年、東本願寺大谷光瑩上人の欧州視察に随行した舜台は、ヨーロッパにもたらされていたサンスクリット経典に接し、これの学習を上人に命ぜられ、多少勉強した。帰国に際しては「洋人ノ対訳スル西蔵字一本ヲ得来」った（『喇嘛教沿革』二八六頁）。帰朝後、すでに明治六年北京に渡っていた小栗栖香頂を再度大陸に送り、明治九（一八七六）年に本願寺上海別院を開設する。同年南条文雄・笠原研寿をイギリス留学に送り出す。小栗栖香頂（一八三一―一九〇五）は『喇嘛教沿革』を著し、明治一〇年刊行するが、これの発行人は舜台である。南条文雄（一八四九―一九二七）はオックスフォードでマックス・ミュラーにサンスクリットを学び、師にチベットへ行き経典を集めることを強く勧められていた。帰国時にインドを回って仏蹟を探訪し、チベットへも行きたいと思っていたようだが、帰国はアメリカ回りとなったためそれは果たせず、明治二〇年インドへ旅行した際もチベットへは行けなかったが、そのことを気にかけていて、その思いを若い人たちに伝えていたようだ。小栗栖・南条の二人の先達から明治日本の入蔵熱は起こり、その舞台裏には石川舜台がいた、という構図である。

入蔵志願者の群れの最右翼にいたのは、能海寛（一八六八―一九〇一―？）である。彼は小栗栖・南条の両師に学び、南条宅に住み込みの弟子でもあった。日本にいるときからチベット語を自習していて、明治三一（一八九八）年、満を持して東本願寺の公費派遣で法主からダライラマあての親書を手にチベット入りに出発する。能海は出発前の明治三〇年五月九日、「予ト西蔵」という覚書を書いているが、その中で彼の知るかぎりの入蔵志願僧を列挙している。東温譲（真宗本願寺派、明治二一年セイロン留学・同二六年ボンベイで客死）。太田某。生田（織田）得能（真宗大谷派、明治二一年シャム留学・同二三年帰国）。善連法彦（真宗仏光寺派、明治二一年シャム・セイロン留学・同二四年帰国・同二六年死去）。川上貞信（真宗本願寺派、明治二二年セイロン・カルカッタ留学）。ただし、実際にダージリンにまで赴いた川上を除き、あとの者は意欲はあったが行動に移すまでに至らなかったようだ。川上についてはあとで触れる。

これらは能海が計画を把握していた面々だが、入蔵熱の流行はそれだけにとどまらない。実際ラサ入りに成功する河口慧海（黄檗宗、一八六六―一九四五）と寺本婉雅（真宗大谷派、一八七二―一九四〇）の名はそこにはない。慧海は明治三〇（一八九七）年六月二六日にチベットを目指し日本を発つ。そのことを能海は日記に記しているが、ひと月前に「予ト西蔵」を書いた時点では把握していなかったのだ。寺本に至っては、同じ大谷派の僧なのに、中国に渡り、領事館から彼と同行するよう指示されて初めてそういう者のあることを知ったのである。同じ時期にチベット入りを目指しているからというので現地の領事館が二人まとめて護照を手配したのだ。しかしその指示を受けた時点では、名前すら知らなかった。さらに、能海が四川からの入蔵に失敗し、青海に向かう途中の西安で、明治三二年冬三〇歳と二〇歳ばかりの僧二人西安から打箭炉へ向けて出発したと聞いた(『遺稿』一三三、一八四頁。寺本によれば大谷派の僧後藤葆真と樋口竜縁だという)。寺本も、明治三一／三二年の冬「真言宗の僧吉田弘範氏単独西蔵に入らむとして飄然当地(上海)を去」ったと聞かされる(『蔵蒙旅日記』三四頁)。後述のように、のちの真言宗高野派管長土宜法竜も入蔵の希望をもっていた(＊2)。

仏教青年の禁酒運動から始まった『反省会雑誌』(のちの『中央公論』)に関わり、井上円了の創立した哲学館に学び(河口はここの先輩に当たる)、「チベット探検の必要」という一節を含む『世界に於ける仏教徒』(序文を大内青巒が書いた)を著し、入蔵熱の中心にいた能海寛。その彼もノーマークのところから、志願者は湧くように現われていたのだ。

結局は入蔵に失敗した能海は、それでもその意志と、不本意な中絶に至るまでの業績を顕彰されている。ならば、能海以前の不成功者**川上貞信**(一八六四―一九二二)のような先駆者にも、それ相応の位置を与えなければならないだろう。成功者たちは川上の切り開いた道を進んだのだから。そのころ来日していたセイロン(スリランカ)の仏教復興運動家ダルマパーラの著述を翻訳(『愛理者之殷鑑』、明治二二年)したのち(＊3)、セイロンに留学し、あとでカルカッタに転ずる。志を果たせずボンベイに死んだ東温譲と同郷同宗であった。彼の入蔵の志を受け継ぐかっこうで、ダージリンのチャンドラ・ダス（英国のスパイとしてチベットに潜入、のち蔵英辞典を著す）の別荘に住み、チベット語を勉強しつつ準備をしていたが、この道からのチベット入りは不可能と思い、結局明治三〇年帰国した。それと入れ違いにダスの家に来たのが河口である。川上の入蔵計画を『反省雑誌』は社説に取り上げ（「仏門の福島中佐」、明治二六年三月）、自身入蔵を意図していた土宜法竜も彼と連絡があった（＊4）等々、彼の入蔵行は、当時のその方面に意欲ある者の関心を強くひいていたようだ。いったん帰国しても志を捨てたわけでなく、明治三一年、出発直前の能海と会い、アドバイスを与えている。明治三三年、今度は北京に留学するが、これもチベット行きのためである（『旅人』一三二頁）。しかしここで北清事変に遭遇、北京篭城の義勇隊で働き、結局またも入蔵の入口に立っただけで帰国することになった。この義和団事件の直後、軍の通訳を命じられて北京に渡ったのが寺本で、彼はそこで事変で荒らされたラマ寺院に蔵文大蔵経を発見、これを将来することになるのである。日本では、慧海が第一回の入蔵から帰国（明治三六年）したころ、当時巣鴨にあった真宗大学（現・大谷大学）で一年ほど「西蔵語の極初歩の所」を教えた（＊5）。川上はチベット仏教関係のすべての局面で露払い役であり、そういうものとして終わったが、このような先人の苦労のあとに後人の栄光はあるのだ。

この異様なブームの背景には、維新時の廃仏毀釈から立ち直ってきた仏教復興の動きがある。漢文経典にとどまらず梵語原典にあたる必要を感じ、そのために長足で発展しつつあるヨーロッパのサンスクリット学に学ぶ。そうすると彼地で常識化しつつある大乗非仏説の重い影に行き当たる。そこで同じ大乗であるチベット訳の経典の研究を志す、という青年大乗仏教徒のパトスが一方にあった。

他方、「探検熱」もかきたてられていた。明治二六(一八九三)年は「明治日本の探検元年」であったと言える。福島安正中佐のシベリア単騎横断と郡司成忠大尉の千島遠征の年である。陸軍と海軍の軍人によってなされたこの二つの事業が当時の人々に与えた印象は非常に深かった。前述の『反省雑誌』社説の表題「仏門の福島中佐」にもそれがうかがわれる。けれど、海軍的探検のほうは白瀬中尉の南極探検ぐらいしか続かず(白瀬自身は陸軍軍人)、これよりのち「探検」はもっぱら陸軍の専管事項の如くになってゆく。

白瀬の南極探検は、日本の「探検」の特徴をよく示している。まず、国家的事業でない。この国において探検というものは、初めから「民営化」されている。突出した個人の行動であり、それを支持する民間の資金で賄われる。欧米の同種事業の刺激を受け、それを真似て、出遅れながら割ってはいる。国民は、凱旋した当初こそ熱狂的に歓迎するが、総じて帰国後の探検家を遇すること能わない。それとも冒険をしない者（その最右翼が官僚）が重んじられる国にあって、もともと遇されようのない者が探検に出るのかもしれない。アムンゼンとスコットが極点到達を競う場に、とうてい競争相手にはなれぬ日本隊が意気だけは高く首をつっこむ。戯画と紙一重の英雄画である。しかしながらチベットでは、プルジェワルスキーやヘディン、ヤングハズバンドなどの錚々たる探検名士たちがラサ一番乗りを競う中、河口と成田がちゃっかり先んじているのは愉快だ。

この「入蔵熱」をめぐって興味のつきないのは、その周辺に明治日本の最良の知性が蝟集していることである。

日本における近代仏教学の祖である**南条文雄**は、笠原研寿とともに東本願寺から英国へ派遣され、オックスフォードのマックス・ミュラーのもとでサンスクリットを学んだ（＊6）。そして、梵語経典の書写や校訂の作業のほかに、岩倉具視がイギリスに寄贈した黄檗版大蔵経について、梵語原典名や漢訳年代などを付した英文のカタログを作る。チベット訳があればその旨も付記してある。これは、それでなくともヨーロッパ人にとっても接近の難しい漢文の一切経について、近代書誌学によって施されたすぐれた目録で、学界に対する大きな貢献であった。マックス・ミュラーと南条・笠原の理想的に近い師弟関係については、前嶋信次の「美しき師弟」(『インド学の曙』所収、世界聖典刊行会、一九八五)に美しく叙述されている。ミュラーにはチベットに入り経典を収集することを強く勧められていた(＊7)が、自分では果たせなかった。のちに内弟子となった能海について、「明治十七年私が英国留学からの帰途印度へ立ち寄つて仏蹟を巡拝し西蔵も探検して見たく思つてゐましたが或る都合で米国を経由して帰つたので残念であるといふことを聞いて、能海君は西蔵探検は私が引きうけますと言つた」(『遺稿』二三九頁以下)と述べているが、能海一人に限らず、他の青年僧の入蔵熱もかきたてたことであろう。

チベットには行けなかったが、インドへは行った。明治二〇(一八八七)年一月のことである。このときの紀行文「印度紀行」(＊8)と自叙伝『懐旧録』(＊9)は、実におもしろい。いきなり出発するのである。九日にセイロン経由で欧米に行く人を紹介され、一〇日その人に会い、同行を勧められ金も貸そうと言われて、一二日にはもう船に乗っている。荷造りだけでもよく一日でできたものだと思うが、本山と帝国大学に休暇を乞う手紙を書いただけで出発できるのには感じ入ってしまう。人と人が近く、制度の壁が低い時代だったわけだ。「突進主義」みたいなものはたしかに存在していて、南条も笠原も留学に出発した時点では英語がまったくできなかった(人を選ぶときは人物を見るだけで足る、ということである。しょせん道具に過ぎぬ語学などあとからついてくる)。しかし長所はすべて欠点も込みであって、南条の帰国後の履歴を見ると、真宗のいろいろな学校や華族女学校など一所不定の勤務歴で、オックスフォードで学位を取ってきた碩学にふさわしいとは思えない待遇である。彼より一世代あとに同じくマックス・ミュラーに師事した高楠順次郎になると、東京帝国大学教授をもって迎えられるのである。制度が大きな障害でないのは、制度がまだ整備されていない「普請中」だったからだ。『懐旧録』は維新の当時「僧兵」であったという驚くべき履歴から始まっている。硬直していないとも、無定形とも言える時代を生きた人である。

それは、学者文人が当たり前に四書五経を諳んじ漢詩を交換していた時代、江戸の学識の残影がまだあざやかだった時代でもある。『懐旧録』中の英国留学の部分など、留学中折あらば詠んでいた漢詩集とその注釈のように見える。中国と日本は「同種同文」だということがよく言われたが、それは中国支配のイデオロギーに過ぎず、同種でも同文でもないというのが今では一般的な考え方だ。しかし「東亜同文会」などを作った人々、漢学で人格形成され漢詩で情操気概を養われた人々の世代にとっては、同じ文明に属しているというのは自明の常識であったので、イデオロギー云々よりも「常識」の遷移を見るべきである。

インドには一年半ほど留学するつもりでいたらしいが、現地の状況を見てその計画は捨て、仏蹟の探訪をもっぱらとする中でも、カルカッタのアジア協会図書館に行き梵文無量寿経を校読して、不明箇所はチベット語の無量寿経を得て比較すればあるいは理解できるのではないかと書いている(「印度紀行」四二五頁)(＊10)。ダージリンにも行った。この旅行中いろいろな欧人学者と会っているが、すべて知人である。マックス・ミュラーのもとで学び、学界に寄与する業績をあげている南条は、「学問市民」であり、学者のネットワークの中にあるのだというこ とがわかる。梵語はひとまずおいても、漢学を修めた上で英語を習得するというのは、いわゆる「和漢洋」の世界性である。しかし、英語がインドの公用語である点からみれば、それは一方で「天竺・震旦・本朝」三国の世界性でもある。『東洋の理想』を説いた岡倉天心にも重なってくる。そういうことも教えてくれる。

「天保は寅年の生まれ」の**小栗栖香頂**は、歳は離れていたが南条の親友で、「福沢(諭吉)氏は小栗栖香頂師について仏教を学ばれたように聞いている」(『懐旧録』三〇一頁)。上述のとおり、明治の初めに中国に渡り、『喇嘛教沿革』(＊11)を著して、チベットおよびラマ教と通称されるチベット仏教の概略を示した。チベットについてまったく無知である邦人のために、

『大清会典』・『西蔵記』中の「蒙古源流」などを参照しつつ、主に魏源『聖武記』中の「撫綏西蔵記」「後記」により、その抄録に注釈を加える形、つまりこれまでの漢人のチベット知識や情報を整理する形で示す。そのため、漢人の理解の足りない部分についてはそれを踏襲することになるけれど、典拠が明らかで信頼できる。わからないことはわからないと書き、後人の解明を待つ姿勢であるのも好ましい（「後ノ君子之ヲ訂正セヨ」「他日西遊ノ君子ヲ俟ツ」）。よし、それならば乃公がと、知識の欠落部分を埋めんとする若者をうながすことにもなったであろう。何も知らない者が乏しい知識でわかったつもりになるという類の誤りからは免れていて、今でも参照するに足るドキュメントになっている。

この『喇嘛教沿革』中に、「支那教派大意」「道教大意」「回教沿革」を見よという指示が散見する。こういうものも書いていたらしい。未完なのか稿本のままかと思われるが、当時の中国宗教事情の全体を把握しようとしていたことがわかる。

チベットにアクセスするには三つのルートがあった。インドから、シナから、モンゴルからの三つである。政治地理的にはインドはイギリスが押さえているので、イギリス官辺と関わらねばならず、知識の面からは欧米経由となるのが第一のルート、第二は漢人漢学のルートであり、第三も清朝治下ではあるが、ロシア人の影響力や知識も無視できない。脱亜入欧を推し進める明治日本は、チベット知識についても「欧米化」を深めていった。日本のチベット研究はまず小栗栖香頂の漢学シナ学から始まっているのだが、自身は漢学の素養深かったとはいえ、留学の結果として「欧米派」である南条文雄の方向に道は切りかわってゆく。

シナ学の泰斗**内藤湖南**（一八六六―一九三四）のチベット知識は、むろん漢学である。彼の前半生には、仏教やチベットが伴侶としてよりそっていた。仏教との縁は、上京し大内青巒の知遇を得て『明教新誌』の編集に携わったことによるので、生計のためであったのかもしれない。だが、「偉大なシナ学者」として大成した到達点からでなく、出発点から行路にそって眺めれば、仏教や国史国文は漢学と並んで彼の学問の柱であった。

若きジャーナリスト湖南は、探検を鼓吹し（「亜細亜大陸の探検」、明治二三年一二月『日本人』掲載）（＊12）、改革すなわち謀反であると喝破して（「青年の仏教徒」、明治二三年五月『大同新報』掲載）、「謀反」を奨励する。「謀反人なる哉、謀反人なる哉、我が仏教界にして一個両個の謀反人なくんば、其腐敗沈滞、畢に以て済ふべからざる也」などというところは宛然アジテーションだが、その「謀反」の武器として仏教の新しい価値を明らかにする新研究新知識を勧奨するあたりは、やはり湖南である。この文など、原題は「新仏教徒論」であった能海の著書『世界に於ける仏教徒』とも通うし、「日本仏教の形勢、村上博士の演説、政教問題、宗教法案否決、兎に角日本仏教徒の一運動として喜申候、益々々々騒ぎ立て、宗教の大変乱を引起し、宗教革命の所まで進撃相成度切望致候」（明治三四年一月一日付重慶からの寺本宛書簡、『遺稿』一四七頁）などという部分とも響きあう。能海らがいたあたり、おそらくはその先頭あたりに、湖南もいたのである。

まとまった著述こそないけれど、湖南はチベットに対して一通りでない関心を抱いていて、勉強も怠らなかった。そして日蔵関係において何か出来事があるたびに、それに応じて発言している。明治三四年七月、寺本婉雅の努力によって阿嘉呼図克図が来日したときには、英露間のグレート・ゲームの場としてチベットをとらえた「西蔵問題」の論説を書き（『大阪朝日新聞』明治三四年七月一八日）、また「西蔵の研究」では、「喇嘛僧の渡来と西蔵使節の入露報は、世人をして西蔵研究の必要を感ぜしめた」として、自分のもっているチベット関係漢籍資料を列挙し、「西蔵問題は今後に於て極めて必要に極めて趣味ある者たるべし。其の躬親ら入蔵の企画ある人は姑く舎く、書籍の上より之を研究せんとする人には、今より其の資料の蒐集に勉めざるべからず。有志の人と相研鑽して其の已発の秘密なりとも完全に知了せんことは余の至願なり」（「読書記三則」明治三四年八月、『日本人』掲載）と言明する。

明治三三年一二月に寺本によって北清事変後の北京ラマ寺院から蔵文大蔵経が取得された事件に応ずるかのように、湖南自身も明治三五年奉天で蒙文満文大蔵経を見出し、三八（一九〇五）年、日露戦争の大勢が決したあととはいえ、まだポーツマス条約は結ばれていない時期に満洲へ渡り、八月蒙文満文大蔵経を調査、これらの経典は日本へ将来されることになる。重訳だから蔵文より価値は下がるが、研究史上の一事件であることは間違いない。

明治三六年五月、河口慧海がチベット潜入を終えて帰朝し、新聞に旅行談を発表するや、間髪入れず「河口慧海師の入蔵談に就て」を著し（『大阪朝日新聞』明治三六年六月一二日）、そのうちの地理上の疑問点を指摘している。

大正四年に河口が第二回のチベット旅行から帰国する。大正六年には能海の追悼会や『能海寛遺稿』の刊行もあったが、青木文教の帰国した年でもあり、青木と河口の間で、慧海の持ち帰った大蔵経の受取人は誰かをめぐるいわゆる「大正の玉手箱」事件が起きた。その翌年の史学会で、河口も寺本も見ていないと言っているが、たしかにラサ大招寺にあるはずの「拉薩の唐蕃会盟碑」について講演している。

湖南の魅力は、視野の広さと深さである。清朝は異民族王朝であり、満洲・蒙古・新疆回部・西蔵という漢民族王朝には組み入れられなかった地域と民族を統合した多民族にして多言語の帝国であるという本質の部分を理解していた。清朝の文書は漢満併記なのだ。満洲や西蔵に対する深い理解は、伝統的な漢学者には考えもつかないことである。たとえば『清朝史通論』（大正四年京都大学夏季講演）において、西洋人は初め満州語によってシナ語を学んでいたという指摘をする。たしかに、クラップロートやレミュザは満洲語に精通していた。シナ学者として知られるレミュザがコレージュ・ド・フランスの教授になったとき、その講座は中国及び韃靼満洲言語文学講座だった、『清文鑑』をたよりに研究を進めていた、等々（『東洋学の系譜・欧米篇』、大修館書店、一九九六）。ラマ教もチベットも、それを信仰するモンゴル人満洲人との関連で大きな構図の中でとらえ、チベット文字がインド由来の音標文字であるところから漢語音韻研究に資した点などにも目を配っている。湖南の面目はこういうところに躍如する。

このように、内藤湖南は該博な知識をもって事件に伴走する。それは、誰かがあるテーマについて発表すると、それに関する膨大な資料をもって補強してやる南方熊楠の態度に通じる。学問の進め方のひとつだ。

周辺ではなく、ラサ潜入を果たしたまさに当事者であるが、**成田安輝**（一八六四―

一九一五)は正しく評価されていないと思う。明治三四(一九〇一)年一二月、河口慧海に遅れること九ヶ月弱で、成田はラサに足を踏み入れた。彼の「進蔵日誌」(＊13)は、インド・チベット国境からラサに入ったところまでしか残っていない不完全なものではあるが、非常にすぐれた探検紀行である。日本人のいわゆる「探険家」たちの報告の貧しさにうんざりしているのは筆者だけだろうか。橘瑞超の『中亜探検』や白瀬矗の『南極探検』など、お粗末な限りである。人の行かないところへ行きさえすれば探検だと思っているのではないかと疑われる。こういう「タンケン」の「ケン」の字は、検証の「検」でなく危険の「険」であろう。探検とは、学問も同じだが、まず先人たちの記録を調べ、今までに何がわかっているかを踏まえて、その上に自分の得た新しい知識や認識を積み上げ、先行の調査研究に誤りがあれば正すという作業である。そういう「探検記の文法」、学問の作法にのっとっているので、文語体にもかかわらずきわめて読みやすい。探検はまず第一に地理学的営為(自然地理・人文地理・政治地理・兵要地理等々)である。「地理学無識の坊主ども」とはそこが違う。機器を持ち込むことができなかったため測定作業はできなかったけれど、成田のこの記録は一九世紀の正しい「探検」であることを示している。日本版「王立地理学協会」である東京地学協会の機関誌『地学雑誌』が、慧海の旅行談に冷ややかな一方で、「成田安輝氏拉致薩旅行」を取り上げたのは、理由なしとしない。

成田はなるほど外務省（参謀本部もかんでいたらしい）から潜入の密命をおびた紛れもないスパイであるけれど、その頃の探検は大なり小なり敵情視察、帝国主義的植民候補地事情偵察という趣きはあったのだ。西洋の探検英雄プルジェワルスキーやヘディンを批判する者が成田を批判するならいいが、ヘディンは賞賛、成田は批判ではダブルスタンダードである（＊14）。

人類学者**鳥居竜蔵**（一八七〇―一九五三）は、明治三五・三六（一九〇二／〇三）年、西南中国の貴州・雲南・四川を調査に歩いている。チベット人地域もかすめて通っていて、チベット人の一派である西蕃やクソン、チベット系のロロなどの諸族を調査している。彼の行路のうち、貴陽から雲南府まで、雅州から成都までの旅程は能海の歩いた道と重なる。

この旅行記（＊15）を一読すると、こんなものが調査なのかと驚く。通訳連れなのは当然としても、護衛の兵士も引き連れて、シナ服につけ弁髪を着し、まったく新赴任のシナのお役人の行列そのままである。座船の船首には「東京帝国大学堂教習」と大書した旗を立てるほどだ。だが、これが旧中国の公的旅行のスタイルで、能海や寺本も巴塘までは兵士に随行される旅だった。雲南奥地での能海の消息不明は知らなかったろうが、英国宣教師が殺された町や旅人がよく襲われて落命する道を通る以上、護衛なしでは行かれない。

しかし、そんな行列なしての道中で行なった調査には、大きな限界があることは明らかだ。少数民族の老女がこんな隊列が自分に向かってくるのを見れば逃げ出すのが当然で、それを馬に乗ったまま追いかけたりするのである(一三八頁)。こんな調査では得られるのは表層的データのみ、外貌や衣食住など物質文化観察されるだけで、社会や精神文化についてはほとんど得るところがない。けれどもその限界の範囲内で目いっぱいの仕事が行なわれているのもまた事実である。

鳥居は少数民族に対する偏見から自由ではない。「蛮族の巣窟」「夷人が跳梁跋扈、狂暴の勢いを逞しうす」などの字句が頻出する。そうでありながら、ぜひうちの村に来てくれと歓迎されたり(一二九頁)、民族衣装を求めようとしてつけられた交換条件、けんかで投獄された村人を放免させるよう働きかけてほしいという願いを快諾したりしている(一四四頁)。微罪であるから、公的人物である自分が口添えすれば簡単だろうという見通しがあるのだ。ある町で「洋鬼」(＊16)と罵られると、ためらうことなくそれを土地の役人に告げ、対処を求める。官吏はその男を鞭打ち刑に処すことを約す(九六頁)。外見の変装にとどまらず、行動様式もまたシナの役人式にならっている。一方で、「ジンルイガク」と称する風変わりな職務で歩いていて、奇妙だが無害らしいと周囲に感じさせながら。このようにふるまうことで、住民や行く先々の官吏、同行の通訳や兵士に対し、彼らが従っているのと同じ文化、同じ行動規範で行動することを示している。少数民族を含む住民から見れば、この妙なことを調べる「お役人」も、自分たちを取り囲む社会の構成要素であると受けとめられるわけで、安んじて対応できる。フィールドワークをする者は、自分の存在を被調査社会のどこに置くか、どう自分が調査する社会と折り合いをつけるかに腐心するが、いかに努力しようと結局は「異物」であることをまぬがれない。それならば、一見プリミティブな鳥居の調査方法も、現代の人類学者の持ちえない利点を持っているとするべきだ。

もうひとつこの旅行記で感心するのは、ななめに読み流せば、大した苦労もなくすいすい旅行しているように見える。そんなはずはなく、南京虫にもさんざん食われたに違いないのに、そういう無用に属することはほとんど書いていない。ただ自分の任務であることの報告につとめ、旅の労苦をこと細かに述べたがる「人間的観察」の悪癖に毒されていないのがすがすがしい。きっと通訳もよかったのだろう。加えて、シナの大人として旅行するというきっぱりした態度が、外国人の旅につきものの不愉快から救っているのだ。近代日本の才子たちは、口をそろえて中国の旅は難儀だと言うが、その根拠は鉄道や汽船が未発達だからというに過ぎない。

「文明開化」に遅れた中国を馬鹿にするスタンスである。これに対し、近代交通機関発達以前の段階で言えば、中国は交通が非常に便利であった事実を碩学湖南は喝破しているし（「近代支那の文化生活」昭和三年、『東洋文化氏研究』所収）、旅の達人鳥居竜蔵は身をもって示しているのである。

明治二六（一八九八）年一〇月三〇日、ロンドン留学中の**南方熊楠**（一八六七—一九四一）は大英博物館を参観に来た**土宜法竜**（一八五四—一九二三）に会い、終生の友人となった。法竜は、同年九月シカゴで開かれた万国宗教大会に日本代表として参加したあと渡欧、ロンドンに立ち寄ってから、パリのギメ博物館に五ヶ月滞在し、二七年セイロン、インドを経て帰朝する。この出会いから、大乗仏教をめぐり、きわめて哲学的にして脱線に脱線を重ね、罵詈雑言にみちみちた、奔放不羈かつ猥雑なる世にも稀な「哲学書簡集」が誕生した（＊17）。法竜は、その悪態癖には辟易しながらも、熊楠の真価値を洞察していた。「貴下は仏教中興の祖師の一人となる所存なきか」（『往復書簡』三三頁）と書いたほどだ。熊楠もその期待に応え、みごとな大乗論やマンダラ理論を繰り広げたことは、中沢新一の刺激に満ちた南方論『森のバロック』（せりか書房、一九九二）によって示されている。

「小生は件の土宜師への状を認むるためには、一状に昼夜兼ねて眠りを省き二週間もかかりしことあり。何を書いたか今は覚えねど、これがために自分の学問、灼然と上達せしを記臆しおり候」（明治四四年六月二五日付柳田国男宛書簡）とみずから回顧するその文通は、チベット行きの話題から始まっている。当時熊楠は、「只今アラビヤ語を学びおれり。必ず近年に、ペルシアよりインドに遊ぶなり」（『往復書簡』六頁）という考えをもっていたらしい。そこに、「小生の今日にして一番の希望はチベットなり。日本の大乗仏教に対し、ことに瑜伽道に対しては、ぜひチベット仏教を学び畢らずんば、断然なる改革の着手は作らざるなり」（『往復書簡』二八頁）という当時の入蔵志願者に共通の念願をもち、「かの地に少なくとも三、四年は滞留」したいと思っていた法竜が、「貴君と何とぞして再度の雪山・チベット遊びに御同行願いたく存じ候」（今度の旅の帰路にインドに寄るが、このときはチベットに行けないだろうから、いったん帰国して再度の意。『往復書簡』七頁）と誘う。

法竜の入蔵希望には、例によって「大乗非仏説」克服が背景にあった。熊楠もその点は同じで、「大乗を述べんとするものは、小乗や中乗のことにかまわず、主として一語一句も大乗をしらべたきことなり。これをなすにはチベットの仏教を知ることははなはだ必要と存じ候」（『全集』七、二三一頁）と書く。そして、「私は近年諸国を乞食して、ペルシアよりインド、チベットに行きたき存念、たぶん生きて帰ることあるまじ」、「今一両年語学(ユダヤ、ペルシア、トルコ、インド諸語、チベット等)にせいを入れ、当地にて日本人を除き他の各国人より醵金し、パレスタインの耶蘇廟およびメッカのマホメット廟にまいり、それよりペルシアに入り、それより舟にてインドに渡り、カシュミール辺にて大乗のことを探り、チベットに往くつもりに候。たぶんかの地にて僧となると存じ候。回々教国にては回々教僧となり、インドにては梵教徒となるつもりに候」(『全集』七、一三八頁)、「通弁は小生なすべし。仁者いよいよ行く志あらば、拙はペルシア行きを止め、当地にて醵金し、直ちにインドにて待ち合わすべし。…全体チベットには瑜伽藍の法術の大学校一つとかありて、はなはだ西洋人に分からぬこと多き由。拙はその大学校に入り、いかなる苦行をしてもこれを探らんとするなり。…兼ねてチベット現存の経典理書、律蔵およびその史書を取り来んと思う」(同一四〇頁)と応じている。

注意を引かれるのは、熊楠が語るこの放浪の夢の道筋が、ケーレシ・チョマ・シャーンドルが現実に歩いた行路とかなり重なることだ。彼がチョマの事跡を知っていたことは、「ダージリング、有名なるハンガリーの貧貴族クソマフガス(クソマケリス?)が死せしところなり。この人は年に四十ポンドとかの少資にて、祖先すなわち匈奴種の原地を摂せんとて、チベットに入り、瑜伽を学んで究死せるなり」(明治二七年三月一九日付、『全集』七、三〇三頁)という言及から明らかだが、ただし「チベットに入り、瑜伽を学んで究死す」の部分は正確でない。彼が行ったのはチベット内地でなくラダックだし、特にヨガを学んだわけではなく、晩年ラサへ行こうとしてその途上で病死したのであるから。しかし、すべての誤りには真実がある。ここにはチョマの真実でなく、熊楠の真実があるのだ。自分の夢をチョマに投影しているのである。

土宜法竜は、明治二七年パリからの帰国の途次インドを旅行する。カルカッタで、のちに河口慧海をダージリンの家に受け入れるチャンドラ・ダスと会っている。彼自身は入蔵の希望を果たせなかったが、帰国後「秘密教の研究」(明治二八年『伝燈』掲載)を書いて、チベット仏教を紹介した。

法竜はマックス・ミュラーに対してよい印象をもっていなかったようだ。それはミュラーが断然大乗非仏説論者だからである。「ムラ氏が、予は大乗は竜樹の捏造と思うと一口に言い来たり候こと、当方は、予は全然様に存ぜずと言うまでにて、この上、議論となれば、容易のことに御坐なく候」(『往復書簡』一二三〇頁)とか、リス・デイヴィスと比べて、「彼は決してマキシュムラ氏の如き狭隘の見にあらず。仏教大乗も大いに敬愛致しおり候」(『往復書簡』七頁)と書いているところから知られる。熊楠も反マックス・ミュラーでは共通していた。しかし、そこにはもちろん単なる大乗大事以外の理由があった。

熊楠はミュラーを「論敵」と定めていたらしい。神話学者ミュラーの学説の柱はふたつある。ひとつは、神話は「言語の疾病」として生まれたという解釈で、太古の比喩的表現を実体的に考えることから発生したとする（「日が暁を追う」が「日の神が暁の女神を追う」と人格化される）。換言すれば、神話は隠喩の体系である、ということ。もうひとつは、その隠喩体系を読み解くための方法として、太陽を中心とする天文学的コードが絶対的に卓越していると見ることとである。これは卓見ではあるものの、神話の主人公をすべて太陽をもって解釈しようとする行き過ぎを招きやすい。単純な還元論に対しては、熊楠は断固として反対を貫いた。「西洋に近来アストロノミカル・ミソロジストなどいうて、古人の名などをいろいろ釈義して天象等を人間が付会して人の伝とせしなどいうことを大いにやるなり。予今度一生一代の大篇「燕石考」を出し、これを打ち破り、並びに嘲弄しやりし」（明治三六年六月七日付、『全集』七、三二四頁）と法竜に書き送っているとおりである。

しかし、行き過ぎに注意して再検討すれば、ミュラーの神話学テーゼは今も有効性を失っているわけではなく、デュメジルらの新しい印欧比較神話学によって受け継がれている（中沢新一）。

熊楠とマックス・ミュラーを分かつものは、また彼と柳田国男を分かつものでもあった。ミュラーに対する反対は、柳田に対する反対として再度立ち現われてくるのである。

一九世紀後半にヨーロッパの人文学界を大きく聳動したのは印欧比較言語学の巨人的な発展だが、南方はそれにまったく感銘を受けていない。このあたりに彼の特質がうかがえる。言語学との無縁ぶりははなはだしくて、蔵書中言語学書はきわめて少なく、しかもそこに分類されるわずか三冊のうちの二冊は「仮想敵」ミュラーの著書である（＊18）。印欧比較言語学の達成を踏まえ、神話神名を普通名詞で読み解こうとする彼の方法に対する不信は、「固有名詞の普通名詞化」という柳田のラディカリズムに対する反発として再現される。固有名詞の圧制を排し、それを普通名詞に読みなすことで民衆の生活史を掘り起こす柳田の方法（＊19）を、彼は決して理解しようとしなかった。

蔵書に折口信夫の本がないということも何かを物語っていよう。折口とは交際があり、彼が編集した雑誌『民俗学』に寄稿もしているのに。折口に限らず、国学自体に興味がなかったようだ。国学はすぐれて言語の学であり、折口学はもちろん柳田学も「新国学」であった。狭さや貧しさに対する拒絶が南方学の特徴で、漢学や仏法を異国のさかしらとして排斥する国学とは行き方が正反対である。彼は徹底して豊饒の側にあり、和・漢・洋、天竺・震旦・本朝に通じて自在であった。言語ではなく事物を愛する、「辞典」ではなく「事典」の人である。熊楠はミュラーにアーリアないし西欧中心主義をかぎとっていたようである（＊20）。そういうものを許す人ではなかった。柳田の「一国主義」を難詰したのも、狭量と自得に対する拒絶という同一文脈にある。しかしながら、ラ・フォンテーヌの「乳しぼる女の俚話」について、パンチャタントラに類話があることをミュラーが論じているが（南条が『向上論』所収の「物語の移住」でそれを紹介している）、それについて「俚語の訛りを正し伝を露わすぐらいのことは、支那に古くよりありしなり」と剣突をくらわせているけれど（明治二七年三月四日付、『全集』七、二二四頁）、これは難癖言いがかりの類で、彼にとっても名誉にならぬことだ。自身インドや中国に話源を求める「猫一疋の力に憑って大富となりし人の話」等々の論文がある彼の、ライバル視の激しきによってつい漏れた口吻としておくべきであろう。

そのように論難しながら、彼の蔵書にはミュラーの著書が数多く並んでいる（五部一一冊）。ミュラーの手強い論敵だったラングが三冊、大人類学者フレイザー（柳田に『金枝篇』を読むように勧めたのは南方である）が五部八冊であるのに比べて、かなり多い。ミュラーの学説と格闘することによって自らを鍛えていたのであろうか。このあたりも、のちの火の出るような柳田との応酬を思い起こさせる。

法竜との文通においてはチベット行きにかなり乗り気で、「ことによれば小生みずからパリに行き、有名なる『西蔵字彙』ただ一冊あるやつを、小生の例の『三才図会』を写せるこんきにて一本写すべし」(明治二七年三月一九日付、『全集』七、三〇三頁)とまで言っている。ロンドンになくパリにあるのみといえば、おそらく『翻訳名義大集』写本のことであろう。経典翻訳のためサンスクリット語彙にチベット語を対応させた語彙集で、南条と笠原はパリへ出向いてこれを筆写していた(＊21)。けれども、今に残る田辺の熊楠蔵書には、ヘブライ語やサンスクリット語についてはは辞書も文法書もあって、これらはたしかに勉強していたようだが、アラビア語・ペルシア語・トルコ語やチベット語の辞書文法書は見えない。結局チベットへ向かうユーラシア放浪の旅は、美しい夢に終わってしまった。

行った人々は讃えられてよい。だがそんな人たちは少ない。明治期を通じてわずか三、四人である。行った人をほめるだけでは、物事の根幹部分をのがすことになろう。「行かなかった人々」を知ることで、入蔵熱はもっとよく理解できるのである。

たかが日本をとってみても、これらの面々が頭をわずらわし心を遣うチベットという国。そこに住む人々がいかにそう望んだとて、鎖国を守り通すことはできない相談だったのである。門をこじあけんとする帝国主義者の野望とは別に、知恵と知識を求める人々の渇きに、チベットは応えねばならなかった。

参考文献および註：
『能海寛遺稿』、五月書房、一九九八（原著：一九一七）（「遺稿」）
江本嘉伸『能海寛 チベットに消えた旅人』、求龍堂、一九九九（「旅人」）
寺本婉雅『蔵蒙旅日記』、芙蓉書房、一九七四
河口慧海『チベット旅行記』一—五、講談社学術文庫、一九七八（「旅行記」）

＊1：ホップカーク『チベットの潜入者たち』、白水社、二〇〇四、七八頁。
＊2：入蔵志願僧には東西真宗が圧倒的に多く、密教である真言宗がそれに次ぐ中、黄檗僧として入蔵を志した慧海はまったく異色で、ここにも彼の一匹狼性が見える。
＊3：ダルマパーラも入蔵熱にかかっていた一人である。大宮孝潤によると、明治三〇年ごろその熱に浮かされていたが、父に止められたという（「印度通信」、「東洋哲学」五—四、明治三一年、二一二頁）。
＊4：南方熊楠宛の手紙に「川上貞信は三月十五日カルカッタ出立。ニッポール、シキン、カシュミルの三処へ出遊すと申し来たり候なり」（明治二七年）と書いている（『南方土宜往復書簡』二三二頁）。
＊5：河口慧海「我国西蔵語学界の近況」、『大正大学々報』一五、昭和八年。奥山直司『評伝 河口慧海』、中央公論新社、二〇〇三、三五四頁。

＊6：ミュラーの書斎でまず見せられたのは、日本の書物『梵語雑名』であったという（「マクスミュラー先生」、『向上論』所収）。はるばる地球の裏側までやってきて、そこで始めて自国にあるものを目にするというのは、存外ありがちなことである。日本の悉曇学（梵語学）の伝統はつまりほとんど断絶していたのである。南条は帰国後、悉曇学の大家慈雲尊者旧住の寺に行って調べたりしたようだ（「南方土宜往復書簡」九三頁）。

＊7：「マックス・ミューラー先生書翰」、『南条先生遺芳』所収（『南条文雄著作選集』一〇、うしお書店、二〇〇三）、六、一二五以下、一二九、一三四頁。『旅人』五五、五九頁も参照。

＊8：『明治シルクロード探検紀行文集成』五所収、ゆまに書房、一九八八。

＊9：南条文雄『懐旧録』、平凡社、一九七九。

＊10：能海は「予ト西蔵」に、「（明治）二十四年一月以来南条師ヨリ少シズツ梵語ヲ学ブ 仏教経典ノ原本ヲ得タキノ念生ス 観無量寿経ノ如キ最モ其ノ一ナリ」と記す（「旅人」八〇頁）。師の念願をたしかに受け継いでいる。

＊11：小栗栖香頂『新注 ラマ教沿革』、群書、一九八二。

＊12：費用まで概算してみせる。「若し満洲に入らんか、一人の費す所千円、十人にして一万円に過ぎず、進んで西蔵近傍に入らんか、一人費す所二千金、三十人にして六万円に過ぎず、日本貧しと雖も、

旦夕にして弁ずべからざるに非ず」(「亜細亜大陸の探検」)。
ちなみに、自身の入蔵は断念した土宜法竜は、真言宗の宗費による派遣を提案し、「一年金六百円あれば殆ど足れりと思ふ」(「秘密教の研究」、『木母堂全集』所収、六大出版社、一九二四、五〇頁)と費用を見積もっている。実際のところでは、能海は本山から一〇〇〇円の支給(『旅人』一四五頁)、河口は自分の貯金と友人からの餞別で、五〇〇円余を懐中に日本を出発している(『旅行記』一、三〇頁)。

*13：成田安輝「進蔵日誌」、『山岳』六五・六六号、一九七〇・七一

*14：成田の事跡を追った木村肥佐生は、外務省が彼のためにつかった八二六〇円以上の金は現在の金額にすると一億円だと言っているが(「成田安輝西蔵探検行経緯」下、『亜細亜大学アジア研究所紀要』一〇、一九八三、二二一頁)、これは過大な見積もりだろう。桁はそれよりひとつ少ないはずだ。大谷光瑞は、橘瑞超が二回目の探検行に出る前に、ロンドンで道具や計器を買い求め、四、五千円を払っている(橘瑞超『中亜探検』、中公文庫、一九八九、一二頁)。本願寺法主とはいえ一民間人にすぎない光瑞がポンと出せる額の倍程度なら、木村の推計よりずっと少ないと思われる。

*15：鳥居竜蔵『中国の少数民族地帯を行く』、朝日新聞社、一九八〇。

*16：西洋人が「西洋鬼」であるのに対し、日本人は「東洋鬼」であり、したがって西洋人と同様に「洋

鬼」でもあり「東洋人」として「洋人」でもあって、それが日本人の入蔵が（西洋人ほどでなくとも）むずかしい理由であった。能海の厄難ともなった。

＊17：『南方熊楠土宜法竜往復書簡』、八坂書房、一九九〇（以下『往復書簡』）。『南方熊楠全集』七、平凡社、一九七一（以下『全集』七）。奥山直司「土宜法竜とチベット」（『熊楠研究』三、二〇〇一）も参照。

＊18：『南方熊楠邸蔵書目録』、田辺市南方熊楠邸保存顕彰会、二〇〇四。

＊19：たとえば、オバケを指す名称としてモーコとかガゴゼというのがあるが、これを「蒙古」（襲来）や「元興寺」（の鬼）とする「歴史主義的」俗解に対して、「（とって）かもう」という妖怪の科白から出たことを示す『妖怪談義』のあざやかな手つきを見よ。

＊20：「十二支考」（『全集』一、平凡社、一九七一）、二四九頁以下。

世界を制覇していたあの時代の西欧文明の中心にいた者なら、そのような傾向があったとしてもおかしくはないけれど、ミュラーにおいて特にそれが際立つというわけではない。南条とともに彼の門を叩き、ともに研鑽を積みながら結核のため中途で帰国を余儀なくされた笠原研寿が、ついに三二歳にして病没したとの報が届いたその日に、ミュラーはこの悲運の弟子の追悼文を書いて、「ロンドン・タイムズ」に送っている。イギリスはもちろん、日本でさえまったく無名の、学界にもまだ何の業績を残さずして死んだ異国の若い学徒のために即日筆をとり、「タイムズ」に寄せる異例をあえてする人であることを考えれば。

＊21：パリ写本の元になった写本がサンクトペテルブルク大学図書館にもある。それとは別に、チョマもこれを写し、英訳を添えて出版できる形に整えていたが、実際に公刊されたのは没後半世紀以上たった一九一〇・一六・四四年である（一島正真「チベット学の先駆者チョーマについて」、『大正大学研究紀要』七六、一九九一）。

ここでも交錯が見られるが、歳も違うし留学していた時期も違うけれど、同じ「仏教者」であるためか、南方と南条には重なる部分が多い。重なりながらベクトルが逆向きになる部分もまた。熊楠は法竜に、「仁者、南条師にあうの日は、フランクス氏、今に「忘れねばこそ思ひ出ださず」と吟じおれりと伝言せられよ」（『全集』七、二三〇頁）と書いている。大英博物館のフランクス部長は熊楠の親しい知人だが、南条も親しかったようで、帰国に際して記念に本をもらっている（『懐旧録』一七六頁）。法竜がミュラーと対比して評価するリス・デイヴィスは、南条がまだオックスフォードへ行きミュラーに弟子入りする前、彼にパーリ語の学習を勧めたが、南条は梵語にこだわってそれを謝絶したという（『懐旧録』一二六頁）。そして、マックス・ミュラーをめぐって両者は対極にある。

クチンの日本人墓地

ボルネオ島西海岸のサラワク州の首都はクチン。その中心部から南に下がり、バトゥ・リンタン通りから少し北に入ったところ、かつての捕虜収容所から遠からず、華人墓地の東に、「極楽山」と書かれた門と柵に囲まれた日本人墓地がある。紀元二六〇〇年(一九四〇)記念に日本人会によって整備されたものだ。現在、明治三五年(一九〇二)から昭和一九年(一九四四)まで、三〇基の墓がある。かつては四六基あったらしい。

すでに中川平介氏が『郷土石見』(一〇〇号・二〇一六)で報告しているように(「ボルネオ島の日本人入植者」)、そこに渡津出身(島根県石見国邦賀郡渡津村とあるが、「邦賀郡」はもちろん「那賀郡」の誤記)の永井潔造の墓がある。大正八年(一九一九)四月二九日死亡、行年二七歳。「日沙商会建之」とあるから、一九一二年からクチン近郊サマラハンでゴム園などの事業をしていた日沙商会の職員だったのであろう。その人となりはわからないが、「春誉勇進信士」という戒名からある程度感じ取ってもいいかもしれない。死因もわからないけれど、南方特有の病気の多い土地だ、若くして亡くなる人も多かった。享年が読み取れる一六人のうち、一一人が二〇代で、一人が一八歳で死んでいる。あとの四人も三二歳・四〇歳・四四歳・五五歳である。海外移住者はそもそも若い者が多かったことのほかに、風土に慣れてしまうまでは温帯人は環境に圧倒されることがしばしばあったということだろう。

この墓地には、島原・天草出身の女性の墓が多くある。いわゆる「からゆきさん」であろう。明治三六年(一九〇二)に一八・二〇・二一歳の若さで死んだ彼女らの墓標の前に立つと、感慨を催さずにはいられない。山崎朋子の『サンダカン八番娼館』によってボルネオのからゆきさんの居留地としてはサンダカンがとりわけ有名になったが、クチンにも彼女らはいた。

鰐集うボルネオ島に来てみれば港々に大和撫子

一九一五年にボルネオ各地を訪れ、「邦人新発展地としての北ボルネオ」を書いた三穂五郎がこんな戯れ歌を詠んでいるが、まさにそのとおりだった(『アグネス・キースのボルネオと日本』、八三頁)。

「ボルネオ視察報告書」(一九一〇年)というものがある。あの日沙商会の創立者依岡省三が事業の可能性を探るためサラワクに来たときの同行者、林基一が書いた。そこにはこう記されている。

「クチンはサラワーク河の上流二十里の所にある、サラワーク国の首府にして、人口凡そ二万其内支那人六分を占め、馬来人三分、其残り一分が欧州人印度人其他の人種なり。言語は馬来語を通用語とす、支那人との間にても、馬来語を使用せるには驚くの外なし、英語を知るものは不便を感ぜず。

欧州人の此地に住するもの凡そ四十人、何れも官憲の関係者なり、我が同胞は凡そ六十人あり、内男二十女四十あれ共、其大多数は例の賎陋なる醜業婦と、是れに関係の無頼の徒のみなるに至つては又驚くの外なし。

新興国として一等国の列に入り、其一挙一動悉く世界の視線を惹くに至れる我が日本帝国の人民が、斯く万里異域の地迄も、身を汚し、醜を売り、以て我が国民の体面を汚せるは真に寒心に堪江ず、余は市中を散歩して之等売笑婦人を見、傍ら額に汗して車を挽ける支那苦力に対し、誠に穴にも入りたき心地せられし事幾度なるを知らず」(『日本とサラワク』、二五九頁)。

「サラワク王国在留邦人の状況」(一九二八)では、在留邦人総数は男五二人・女三八人・子供二五人の計一一五人、そのうちゴム園関係者は七八人、ほかには商人一六人・その他二一人となっている(『日本とサラワク』、二七四頁)。その頃までには「からゆきさん」はほぼ消えていたようだ。一九二〇年に日本領事はシンガポールをはじめマレー半島の娼楼をやめさせたというから、その廃娼令によるものだろう。

この墓地に墓のある者は、男一六人・女二〇人である。次に見るように移民の土地はふつう男が多いのだが、ここで女に上回られているのは、やはり彼女たちがいたからだろう。それでも一九一〇年の数字ほどでないのには少し安心する。

この問題を考えるときには、なぜ彼女らが必要とされたかを視野から外してはならない。サンダカンの一八九一年の男女比は三対一だった。半島マレーシアの華人の男女比に至っては一〇対一である。ヨーロッパ人も圧倒的に男が多く女が少ない。新開地の常である。男たちが土地を開く。だが男ばかりで労働できるわけではない。そこに需要がある。それがプル要因。貧しい日本の農村がプッシュ要因だった。自分で自分を売りとばしたり、人に売りとばされたりしてやって来た苦力たちと同じ境遇だ、ということである。肉体労働をする男たちと、同じく「肉体労働」をする女たち。女性残酷物語は男性残酷物語と地続きの場にある。膨大な数の中国人と違い、日本人の男にはそういう境遇で海外へ出て行った者が彼らほどに多くないから、からゆきさんの商売が際立つのである。それでも、たとえば明治三六年（一九〇三）、マニラとバギオを結ぶ道路建設の難工事に三〇〇〇人の労働者が応募して海を渡り、七〇〇名の犠牲者の墓標を路傍に並べた（『排日の歴史』、四一頁以下）。大正三年（一九二〇）にボルネオからフィリピンへの船旅をした原勝郎は、サンダカンから三等船室に乗り込む二〇人ばかりの日本人と遭遇した。ホロ島で真珠貝採りをしに行く労働者である(『南海一見』、一三四頁)。真珠貝採りはそのころこの海域で盛んであり、日本人は優秀なダイバーだった。特に有名なのがニューギニアの南にあるオーストラリア領の木曜島で、かつて八〇〇人も日本人がいた。それはなかなかたいへんな仕事で、ダイバーの死亡率は一〇%だったそうだ。シベリア抑留者の死亡率と同じである。「あの時代(昭和初年)が食えるというような時代だったかね。(…)われとわが身を売って行ったようなものじゃ」(『木曜島の夜会』、二二三・二二五頁)という老人の述懐。危険に見合ったものか、金をつかんで帰る人も多くあった。からゆきさんもけっこう金を稼ぎ、『サンダカン八番娼館』の主人公、あばら家暮らしのサキさんも、仕送りで兄に田を買わせ、自分も小金を持って帰ってきている。木曜島の真珠貝採りの男たちは、そこにも来ていた日本人娼婦たちと互いを慰め合う対のありようであるのだ。年季奉公である点も同じだ。

「醜業婦」と蔑む戦前の一等国志向の人々も、「残酷物語」「性搾取」として糾弾する戦後の意識高い人々も、高みから見下ろす点で同じものの裏表である。哀史はもちろん哀史であるが、大きな全体の中で見ること、現代の価値基準で過去を見ないことが必要である。

サンダカンと同じく、クチンの日本人墓地も南向きである。つまり、日本に背を向けている。山崎朋子の「からゆきさんの墓は日本に背を向けて建っている」との指摘にははっとさせられるが、しかしよく考えてみるとおかしい。そもそもからゆきさんの墓がそこにそんな向きで置かれているのは、日本人墓地がそこにそんな向きであるからである。彼女たちの意志ではない。意志があるとしたら、それはこの墓地を造った八番娼館の主人木下クニ（彼女も元からゆきさんだった）の意志である。だが、彼女も華人墓地の続きに日本人墓地を造ったわけで、意志をいうならそれは華人の意志だろう。同じく北方からやって来た彼らにとっても、祖国に背を向けることになる。だが、地理をこそ考えるべきだ。サンダカンの町は南の海を向いてできているから、北向きに墓地を造るならひと山越えなければならない。そうすると町から遠くなる。墓参りに負担がかかる。より近い海を見下ろす斜面に造るのが自然だ。それに、港から中国や日本へ行く船が出るのである。南向きはむしろ望郷の念こそ表わすものではないか、と考えられよう。たぶん正解は、意志や望郷などというセンチメントの問題でなく、風水ではないか。北に山を背負い、南に水に臨むという風水の考えによる墓地選択であり、その華人墓地の並びに造られれば、日本人墓地は当然同じ向きになる。クチンの墓地も華人墓地の続きにある。日本人だけを見ていてはいけない。海外の日本人は中国人と寄り添っているのだ。

少し前まで（いや、ことによると今でも）、「日本は中国の一部だ」と思っている外国人は多かった。日本人はそれに反発するが、実のところそれは半分は真実だ。ほぼすべての文化要素が中国由来で、まず漢字がしかり。チベットへ経典を求めに行く途上で行方不明になった求法僧能海寛が、チベットの仏典はチベット語に訳されチベット文字で美しく書かれているのに、一等国を自称するわが日本では一部一巻一品までも漢字で書かれた漢訳漢文の経典を用いていると嘆いているとおりだ。日本語に翻訳されておらず、漢文、つまり中国語のままで読んでいるのである。仏典から見れば、チベットは中国でなく、日本はまぎれもなく中国だ。

江戸中期に南洋へ漂流した唐泊の孫太郎は、南ボルネオはバンジャルマシンの華僑の商家に売られ、そこでさまざまな見聞をしたうち、その地の華僑の盆会のようすをこう報告している。「七月朔日の夜より盆の祭りとて、門口に大燈籠を燈し、十三日より盆会として仏壇を錺り、朝夕の霊供を備るに、豚羊鶏抔の肉料理して祭る。（…）十五日の夜ハ、近所組合のもの銘々出て、大筏を拵え、前成大川に浮め、右の霊供を持出し積重ね、一二斤掛の大蝋燭を燈し、川に流す。斯のごとくにして、川上より流れ通る事夥敷、其火、何様風に当りても消へず、川水に移（写）り流れ行有様ハいわん方なし」（『江戸時代のロビンソン』、一八八頁）。肉料理を除けば、まったく日本の盆とそっくりではないか。もちろん、中国が日本に似ているのではない。日本が中国に似ているのだ。
「底辺女性史」は「底辺男性史」と合わせ考えねばならぬこと、日本は中国の一部だというのは客観的に見て半分は正しい認識であること、これらのことをクチンの日本人墓地は教えてくれる。

参考文献

中川平介「ボルネオ島の日本人入植者」(『郷土石見』一〇〇、二〇一六・一)
日本サラワク協会編『サラワクと日本人』、せらび書房、一九九八
山崎朋子『サンダカン八番娼館』、文春文庫、二〇〇八
森崎和江『からゆきさん』、朝日文庫、一九八〇
林芙美子「ボルネオダイヤ」、青空文庫
モーム「ニール・マックアダム」(『怒りの器』所収、増野正衛訳、新潮社、一九五六)
キース『風の下の国』、田中幹夫訳、Opus Publications、二〇一八

原勝郎『南海一見』、中公文庫、一九七九
司馬遼太郎『木曜島の夜会』、文春文庫、一九八〇
若槻泰雄『排日の歴史』、中公新書、一九七二
『能海寛遺稿』、五月書房、一九九八
岩尾龍太郎『江戸時代のロビンソン』、新潮文庫、二〇〇六
林ひふみ「アグネス・キースのボルネオと日本（1）「ボルネオ－風下の国」」、（『明治大学教養論集』五一三、二〇一六・一）

満鉄病院は今

「斉斉哈爾まで来るとはすごい。日本に帰ったら友達に自慢できるぞ。なにしろ国際都市・哈爾濱のエキゾチックな魅力が強すぎるために、大部分の旅行者は、日程を哈爾濱で打ち切ってしまうからね」（川村湊『満洲鉄道まぼろし紀行』、ネスコ、一九八八）。

おじさんが甥・姪を連れて戦前の満洲を鉄道で旅するという体裁の架空旅行記の中の言だが、まったくそのとおりだ。チチハルには満州国時代五〇〇〇人の日本人が住んでいたそうで、省都でもあり、訪れた人はそれなりに多かっただろうが、物書くような人でここまで来た人は少ない。それは戦後も変わらない。

この本は、益田出身の作家田畑修一郎の書いた『ぼくの満洲旅行記』（金の星社、一九四二）にヒントを得ていると思われる。これは、子供向けの満洲紹介として甥っ子がおじさんに連れられてした満洲旅行の報告という体のものだ。その田畑修一郎は、チチハルには一時間ほどしかいなかった。夜一〇時に到着したが、鉄道ホテルは予約が取れておらず満室だということで、ただちに一一時二〇分の夜行でハルビンへ発ったのだ（「日記」昭和一七年七月八日）。

しかし、日記のハルビンから扎蘭屯までの車窓風景を叙した部分は、このあたりの大平原をよく写している。

「八時起床、予定の如く十一時の汽車でハルピン発、扎蘭屯へ向ふ。間もなく広い大草原但し多少起伏あり。広い畝も満人農家の家、木立なども見えてゐる。午食後一時間くらゐ眠つて目覚めると驚いた。ほんとうに平坦で丸い大草原である。地平線が見える。距離にしてどれくらゐのものだらうか、案外近くはないだらうか。はじめはただびつくりする。野の色合は内地の新緑みたいだ。その漠漠たる拡がりと雲の動いてゐる空だけだ。人の影も見えない、馬も木立も見えない。空はしかし雲が遠くまで見えるので地平線に近づくにしたがつて小さい沢山の奴が目に入る。ハルピンを出たときは曇つてうすら寒かつたが気がつくとその大草原の上の一部分を雨が通りすぎてゐる。その辺り多少土地が起伏してゐるらしく、うすく埃だつたやうな色で煙り左手には雲の切れ間があつて鮮かな緑の色が大きい縞をなしてゐる。ちやうどその中を一体どこからどこへかへるのか白牛、黒の放牧の牛の群が小さく美しく何だかゆめのやうな異常なくつきりさで光つてゐる。緬羊の群も見える。満人か白系かよく判らぬが蒼い色のは傘をさしてその少しはなれた処でぽかんと汽車の方を見てゐる。だんだん晴れて来る。はじめはただ大きいとだけ思つた野はしだいに変化のあることに気づいて来る。所々の湿地に生えた草、やがて野生の花で一面に蔽はれてゐる野甘草や野百合、そのために草原の殆ど見えるかぎりが金茶色に光つてゐるのだつた。間もなく湿地、沼、その水面に映る広く青い空と雲。いろんな水鳥がゐる。かいつぶり、白鷺、それから鍋鶴といふのか灰色の大きな鳥がゆつくりととんでゐる。だんだん紫色の花がふえて来る。桔梗に似た花でミヤマキケマンといふ由、群生してゐる。それは緑色の中を一面にぽつぽつと浮び上つてゐるので何ともいへぬ美しさだ。やがて野は少し茶がかつて来る。何かの穂が一面につづいてゐるのだ。その次には広い湿地帯と見えた葦が一面に生えてその去年の枯茎がついつい出てゐるためにずつと黄色く見えたりする。昂々溪、嫩江、富拉爾(基)、広い中での水流。草。ロシア家屋、煉瓦建、南満より美しく清潔な感じがする。成吉斯汗の駅、山を走つてゐる土手のやうなもの、成吉斯汗塁趾の云ひつたへ。但し、満蒙二族の分界境ならんと云はる。夜九時半、扎蘭屯着、駅助役に話し、満鉄保険館に案内してもらふ。がらんとした安寝台つきの部屋、ヨーロッパあたりの木賃ホテルの観あり」(『田畑修一郎全集』三、冬夏書房、一九八〇、四五二頁以下)。

「島根の近代化遺産一覧」(島根県教育委員会、二〇〇二)にリストアップされている益田市七尾町の旧若林医院の主だった若林明文（一九〇三―七八）は、温泉津町小浜の出身で、東京大学医学部を卒業し、医学博士号を取ったあと満洲に渡り、チチハル・北安・営口の満鉄病院に勤めた。

チチハルの満鉄病院は今チチハル医学院付属三院となっている。二〇一一年までは昔の二階建ての建物が問診部として残っていたことが旅行者の写真からわかるが、二〇一八年にはもうなくなっていた。今は二四階建ての円形ビルが聳え立っている。

ハルビン駅前の旧満鉄病院も古い建物が消えていた。一等地を二階建て三階建ての、現代中国の基準から言えばちっぽけな建物が占めているのだから、新築は時代の必然だ。当時の建物は大きいものでもせいぜい四階か五階。取り壊されて巨大ビルを建てられてもしかたがない。今では八階とか一〇階建て以上がデフォルトだ。道幅も大拡張された。片側五車線、両側で一〇車線の上に、自転車路も広い歩道も取ってある。薄汚れて、改修かしからずんば倒壊かの岐路が近づいている古い建築物など、どんどん整理されるのは理の当然という話である。二一世紀になってからの中国のすさまじい発展と、建築物の運命である経年劣化の進度を考えると、ちょうど今あたりがそれが交差するポイントとなっていると思しい。

北安の旧満鉄病院は今は第四人民病院で、昔の建物が改修されて使われている。昔を懐かしむ人にはうれしいかもしれないが、住民にとってはうれしいことかどうか。それだけ発展が遅れているわけだから。あるいは、当時は「第一」だったはずの病院が「第四」となるまでにほかの新規の病院に追い越され、そこに安住のポジションを得ているということかもしれない。

チチハルに今も残る日本人が建てた戦前戦中の建物では、かつて「北満随一」と言われた立派な駅舎（一九三六）がある。隣に戦後の新駅舎があり、今はそちらが使われているが、古びたとはいえ、おもしろみのない新駅舎に美しさでは断然勝るものの、大きさでは新駅舎に勝られる。駅前にある体育館（一部が遊泳館）も満鉄時代のものという。

おそらく駅長とか高級駅員の社宅だったと思われる日式住宅が、駅の近く、鉄道関係者の住む区域にある。平屋や二階建ての個人商店個人住宅は市の中心部ではすっかり消え失せて、商店はビルの一階部分、住居は集合住宅になってしまっているから、このように一戸建ての個人住宅が駅前一等地にあるのは珍しく、築八〇年以上でも十分価値があるのだろうと想像する。その近くには、昔の武道館が図書館となって残っている。

北原白秋の『満洲地図』（一九四二）には「斉斉哈爾」という詩がある。

「斉斉哈爾
星さへ凍る晩でした、
汽車から降りた、黒い影
鷲の眼のよに眼がきつく
黒いトランク抱くやうに
駅を出かけて見てました。
闇を見つめてをりました。
たつたそれだけ。風がまた
ピシリはたいていきました。」

彼は昭和五年（一九三〇年）三―四月に満鉄に招かれ、「一ケ月に亘つて、北は満州里、西は鄭家屯、東は新義州、南は関東州一円を巡歴した」。そのときの作だが、歌集『夢殿』所収の「満蒙風物唱」にチチハルを詠んだ歌がないところから見て、乗り換えの一時下車程度ではなかったかと思われる。一情景の切り取りだが、気分が出ている。旧駅舎の盛時を偲ぶのにはよいだろう。

かつて巨大な忠霊塔が立っていたところには、戦後巨大な毛沢東像を前にして宮殿のごとき工人文化宮が建つ。その前方の片隅に、むかし手水舎（洗手亭）だったものが残されている。歴史（国恥）を忘れないためにそれだけ取り壊さなかったのだ。今では犬や人の立小便の場である。あわれ、時は流れる。

（二〇一九／〇三）

石見方言への標準語と新方言の浸透

甲南大学方言研究会の『JR山陰本線出雲市—飯浦間グロットグラム集』(二〇一七)というたいへんおもしろい調査報告がある。この研究会は同じ調査方法で『JR山陰本線石見福光—松江—伯耆大山間グロットグラム集』(二〇〇八)・『JR山陽本線広島—岡山間グロットグラム集』(二〇一一)も出している。

各駅ごとに高年齢層男女、中年齢層男女、低年齢層男女一人ずつの計六人に質問するという同一の方式で、駅のある地点をすべて調査しているのだ。駅のない山間部は外れるし、カテゴリーごとに一人しか選ばれていないから、そこには個人的な偏り、言い癖が当然ある。大勢の人に当たった調査なら「誤差」と見られるようなものが唯一例として記録に載る、ということが起きる。たとえば、ある松江の中年女性インフォーマントは「青あざができる」を「ナイシュッケツスル」と答えているが、これはこの人の個人的な言い方であり、これを松江の中年層女性の「方言」とすることとできない。つまり、回答それぞれをその地点の代表例とすることはできないが、全地点での調査記録をまとめたあとなら、それらの「誤差」は相殺できる。点に絞って論じるわけにはいかないが、面を論じるには適当であって、このテーマのような分析にはまさに願ってもない調査である。

この報告書に基づいて検討をしていくが、本題の前に、「似ていると思う方言」「親しみを感じることば」という調査項目もあるので、それについてまず見てみよう。

「似ていると思う方言は」という設問で、黒松から飯浦までの地点では「広島か出雲か」と聞いている。結果は、当然のことながら、圧倒的に広島である。

男／広島：38、出雲：2、どちらでもない：6

女／広島：34、出雲：3、どちらでもない：8

石見福光から波根までは、浜田・出雲・松江のどれかという設問であった。

男／浜田：24、出雲：1、松江：2

女／浜田：20、出雲：6、松江：4

もちろん浜田が断然多いが（これも当然）、おもしろいのは低年齢層女子の回答だ。出雲という答えがほかのどのカテゴリーともかけはなれて多いのである。

高年齢層男／浜田：7、出雲：1、松江：2、女／浜田：7、出雲：0、松江：3

中年齢層男／浜田：10、出雲：0、松江：0、女／浜田：9、出雲：0、松江：1
低年齢層男／浜田：7、出雲：0、松江：0、女／浜田：4、出雲：6、松江：0

低年齢層共通でプロ出雲が多いならまだ理解できるが、男子とも著しく対照的である。何が彼女らをさうさせたか。ちょっと興味がある。

「似ている」という意見は実際にどれだけデータに裏づけられるのか、後掲の七〇項目中、広島・松江で調査されていない「136・137いけないいよ」、「146なくなった」を除いた六七項目で、浜田周辺三か所（浜田・西浜田・下府）と広島・松江周辺各三か所（広島・天神川・向洋／松江・乃木・東松江）の高齢男女の回答を比較してみた。

浜田方言と類似の語の数・浜田方言にない語（相違語）の数をそれぞれ集計すると、

語彙のうち、名詞では、広島との類似：16／相違：9、松江との類似19／相違：14
形容詞：広島：10／2、松江：7／7
動　詞：広島：6／2、松江：3／6
語彙合計：広島：32／13、松江：29／27
文　法：広島：18／12、松江：9／29
発　音：広島：3／0、松江：1／6

新方言：広島：6／4、松江：2／5
総　計：広島：59／29、松江：41／67

類似語は、語彙では拮抗しており、名詞ではむしろ松江が広島を上回るが、文法と発音の項目では歴然と違う。相違語の数はどれをとっても松江は広島より大きい。同じく中国地方の方言で、西日本の特徴を共有している隣接石見方言と出雲方言の違いは、類似よりも相違におい て際立つということだ。特に文末表現や接続表現においてはっきりとした違いがあるのがわかる。

「親しみを感じることばは関西か東京か」という設問の回答を見ると、
男は、関西：40、東京：38、どちらでもない：6
女は、関西：34、東京：37、どちらでもない：8
合わせると、関西：74、東京：75という結果で、非常に拮抗している。ちなみに、「好きな方言」を尋ねた出雲部（安来―田儀駅間）での調査結果は、関西：47、東京：36、どちらでもない：15と、関西が優勢だ。

関西は距離的に近く、人的交流もある。西日本方言として共通するものも多い（否定「ない」でなく「ん」を使う、「(人が)いる」でなく「おる」と言うなど)。

しかし、アクセントではきわめて特徴的な関西アクセントと異なりこの地域は東京アクセントであるし、京都を中心に周圏論的分布を示す語彙の場合、東京あたりと共通するものもあるので、マスコミの大きな影響力による親近感ばかりではなく、実際の裏づけもある。

おもしろいのは、「バカ・アホ」の分布である。東京では「バカ」と言い、関西では「アホ」と言う「stupid」の意味の語について、バカ系語(バカタレなどを含む)87・アホ系語86の回答と、親近感同様まったく拮抗しているのだ(なお、出雲で特徴的なダラズ系は8)。黒松―飯浦間一九地点のデータだけで石東地域を欠いてはいるが、なかなか興味深い呼応と言えよう(なお広島県では、「好きなことば」が関西:82・東京:46と断然関西なのに、バカ系124・アホ系96となっている)。

さて、本題の標準語・新方言の浸透についての分析であるが、データが多すぎるので、選別を加えた。

一五三項目のうちから、方言の広く残っている語、あまりマージナルでない語を選んだ。方言というと語彙が取り上げられることが多いが、同じ日本語なのだから、地方語形と京都語形、東京に基づいた標準語形は共通しているほうがむしろ普通である。「山」は「やま」であり「川」は「かわ」だ。「蛙」は石見部ではみな「カエル」の回答であるが(波根の老人に「ギャーコ」が一例のみ)、『島根県方言辞典』によれば、「蛙」の方言は出雲部にはあるものの、石見部にはほとんどない。つまりこの地域では地方語形と標準語形が同一であったわけで、標準語の浸透によるものとは言いがたい。

断定の助動詞「だ」も、益田地域の「じゃ」以外もともと標準語と同形である。益田地域の若年層で「だ」が現われればそれは標準語化と言えるが、それ以外の土地ではもとの地方語のままであって、標準語の影響と見るべきではない。標準語化を論じるときには、これらのことを注意深く考慮に入れておかなければならない。

そのようなことを考えて、約半分の次の七〇項目を取り上げた。カッコ内の代表的な方言例とともに挙げる。語彙(名詞、形容詞、動詞)、文法、発音、そして新方言のカテゴリーでくくってみると(標準語形はひらがな、方言語形はカタカナ)、

名詞二五項目：14へび(クチナワ)、15まむし(ハミ)、18雄牛(コッテ)、19雌牛(オナミ)、20仔牛(ベコ)、24ものもらい(メボイト)、25つむじ(ギリ)、32末っ子(オトンボ)、55つらら(ナンリョー)、62返礼の品(トビ)、63ふすま(カラカミ)、67どくだみ(ジューヤク)、68彼岸

花（エンコバナ）、74かぼちゃ（ナンキン）、75じゃがいも（キンカイモ）、76とうもろこし（マンマン）、78材木などのとげ（スバリ）、104いくつ（個数）（ナンボ）、105いくつ（年齢）（ナンボ）、106いくら（ナンボ）、36お手玉（オジャミ）、38片足跳び（ケンケン）、39かたぐるま（ビンビク）、49めんこ（パッチン）、51びり（ドベ）（36・38・39・49・51は児童語。カッコ内の語は代表的な方言）

形容詞七項目：85おそろしい（オゾイ）、87まぶしい（マバイー）、88くすぐったい（コソバイ）、90大きい（イカイ）、91小さい（コマイ）、92ふとい（イカイ）、93ほそい（コマイ）

動詞八項目：84びっくりする（タマゲル）、110借りる（カル）、113くれる（ゴス）、114捨てる（ホール）、143腹が立つ（ゴーガニエル）、144かたづける（ナオス）、146なくなった（ミテタ）、152帰る（イヌル）

文法関連二〇項目：108進行態、109結果態、122来ない、123来なかった、124行く（敬語）、125行った（敬語）、129だ、127だろう、141でしょう?、131じゃないか、128から、130だから、135行けば、132しなければ、133ならない、136いけない、137（いけない）よ、153（帰る）よ、145わからなく、156起きよう

発音五項目：147高くない、149買った、150出した、155税金、156 ＪＲ

新方言関連：43じゃんけんの掛け声（最初はグー）、50自転車（チャリンコ）、138とても（メッチャ・チャ・チョー）、139むずかしい（ムズイ）、142気味が悪い（キモイ・キショイ）の五項目＋次の五項目：90大きい、91小さい、143腹が立つ、131じゃないか、145わからなく

地点としては、大田・浜田・益田とその両隣の駅（久手・静間、下府・西浜田、石見津田・戸田小浜）に、大田と浜田の間が空きすぎているから温泉津を入れて、一〇地点をピックアップした（温泉津を入れれば、沿線の旧郡安濃郡・迩摩郡・那賀郡・美濃郡すべてがカバーできる）。回答者が各地点六人だから、一項目につき六〇の回答となる。

その上で、該当する回答があれば1ポイント、該当するものが複数回答のうちのひとつだった場合は0・5ポイントとして計算して、標準語や新方言の浸透の程度を数字で出してみた。

数字は取り上げる語によっていくらでも変わるのだから、相対的な目安に過ぎない。だが、同一基準であるから年齢層による比較には有効だし、市心部（益田・浜田・温泉津・大田の四地点）と周辺部（大田・浜田・益田それぞれの両隣二地点、計六地点）、また地区別（大田・浜田・益田のそれぞれ三地点ずつ。大田地区：久手・大田・静間、浜田地区：下府・浜田・西浜田、益田地区：石見津田・益田・戸田小浜）の比較にも有益な情報になるだろう。

まとめると、次頁の表のようになる。

付表（標準語発現率・新方言発現率を％で示す）

	名詞(25)	形容詞(7)	動詞(8)	語彙(40)	文法(20)	発音(5)	新方言(10)
全	60.0	58.1	61.1	59.9	24.8	76.8	31.9
高年齢層	36.6	39.6	50.0	39.7	20.6	60.1	5.0
中年齢層	62.7	60.4	56.9	61.1	22.3	79.0	27.5
低年齢層	82.0	74.3	76.7	79.4	32.2	89.9	63.3
市心部	*63.5*	*58.9*	*61.9*	*62.4*	*24.6*	*76.7*	*34.2*
周辺部	*57.2*	*57.7*	*41.0*	*57.9*	*24.7*	*77.0*	*30.0*
大田地区	64.1	61.5	78.2	66.2	26.9	82.8	30.3
浜田地区	62.0	64.7	59.4	62.0	29.1	73.3	32.5
益田地区	54.2	46.0	48.6	51.6	17.2	70.0	34.8

経験的・常識的に予想できることを数字としても示すことができた、というだけのことではある。標準語や新方言の浸透は低年齢層で大きく、高年齢層で小さい。市心部では周辺部より大きい、等々。また、大田地区で標準語化が進行し、益田地区でそれが遅い、という傾向も見られた。なぜなのかわからないが、石東は西中国方言と雲伯方言の境界地域・端境地帯なので、第三勢力が浸透しやすいのかもしれない。一方で、新方言の発現は益田地区のほうが大田地区より多く、標準語の浸透と相補的になっている。

概して方言語彙（特に名詞）はマージナルなものに残る。「あめんぼ」の方言が標準語形に置き換わっても、残念ではあっても悲劇ではない。記録に残ってさえいれば。今標準語となっているものの自体、「とうもろこし」「かぼちゃ」などのように方言のひとつが標準語とされてしまったというものが多い。柳田国男の周圏論「蝸牛考」で有名な「かたつむり」も、京都を中心に次々に広まっていた「snail」の方言のひとつであり、もし関西方言を基に標準語ができたなら「デンデンムシ」が標準語になっていたはずだ。

地方語で真に注目すべきは、語彙（標準語浸透率：59・9％。少ないほど方言の勢力が強い。以下％を省略する）ではなく文法（同：24・8）であり、語彙の中では、ものごとを表わす名詞（60・0）より、それの見方・心のあり方である形容詞（58・1）だと言えるだろう（動詞は61・1）。

方言がゆるぎなく勢力を保っている語を見てみると、まず「西日本標準語」とでも言うべき一連の言い方がある。西日本では、東日本の「ナイ」に対して否定に「ン」を使う。「来ない」（標準語浸透率：5・8。以下同じ）が「コン」、「いけない」（1・7）が「イケン」となる。だから「しなければ」（0・8）「ならない」（1・7）も標準語と同一にはほとんどならない。個々の語彙と違い、こういう体系的な文法現象はびくともしていない。その点でおもしろいのは、「（だから）言ったじゃないか」（4・2）が「言ったジャン」とか「ジャンカ」となる言い方である。「ジャン・ジャンカ」はいわゆるハマ言葉で、新方言とされるものだが、「じゃないか・じゃない」の「ない」が「ン」となれば「ジャンカ・ジャン」であるわけで、規則的な「西日本標準語」化によるところもあるのではあるまいか。

また、「いくつ・いくら」(48・0)の意味の「ナンボ」、「くすぐったい」(13・3)の「コソバイ」、「つむじ」(38・1)の「ギリ・ギリギリ」、「高くない」(33・1)の音便の「タコーナイ」、「買った」(61・7)の「コータ」などは、関西地方と共通するという下支えがあるためか、若年層でも勢力がある。「なくなった」(40・0。ただし益田・浜田地区のデータのみ)を「ノーナッタ」と言うのもそういう音便だが、ここでは方言で「ミテタ」もよく使われる。「行けば」(35・0)を「イキャ」と言うのは方言としたが、東京でも普通のいわゆる縮約形(「している」が「してる」、「では」が「じゃ」となるような)とも見られ、「標準縮約形」として方言扱いすべきではないのかもしれないが、『辞典 新しい日本語』では新方言とされていることもあって方言と見ておいた。

標準語にない、代替できない語は標準語化しようがない。材木などの「とげ」(9・3)を意味する「スバリ」は、これよりほかに言いようがない。標準語では材木などの「とげ」もバラなどの「とげ」もともに「とげ」と言うのだが、この性質の違う両者ははっきり区別すべきで、それを標準語が提供できなければ、方言を使うまでだ。むしろ標準語にこの方言を取り入れてほしいくらいである。

標準語ではともに「ている」としか言えない進行態（12・5）と結果態（15・7）を「ヨル」と「トル」で区別することもそうで、明らかに違うふたつの状況を、標準語のように「葉が散っている」ひとつでなく、「葉がチリヨル」（進行態：いま葉が散っている）・「葉がチットル」（結果態：葉が散ってしまっている）と分けて言い表せれば便利であり、この弁別は失われつつあるようにも見えるが、まだ根強い。

ここでは調査されていないが、標準語では区別できない状況可能（この酒はすっぱくなっていて飲むことができない）と能力可能（あの酒は強すぎて飲むことができない）の否定も、この地域では「ノマレン」「ヨーノマン」と区別していると思われる。

「から」（9・2）の意味の「ケー」もゆるぎないもののひとつだ。方言はこういうところに残るのだろうと思わせる。概して文末表現や接続表現に方言は強い。

児童語を見ると、方言と標準語のさまざまな交わり方がそこに出ている。子どもだけでする遊びは低年齢層ではほとんど標準語になってしまっているが、進み方は年齢層ごとにくっきりと違う。「めんこ」（44・1。高年齢層：7・5、中年齢層：30・0、低年齢層：97・4）が好例だ。対して、大人が子どもにしてやる「肩車」（65・0）のようなものでは、大人の言い方が伝わるため割合に方言が残る（大田地区で子どもが「かたぐるま」と言うのは、大人がもう「かたぐるま」と言っているからだ）。「びり」（31・7）の意味の「ドベ」は子ども・大人ともに使う語だから継承されているのであろう。「ケンケン」は、長たらしく説明的な標準語の「片足跳び」（2・5）に置き換わるべき何のいわれもない。ジャンケンの掛け声は、「最初はグー」とまず言うのがドリフターズ発祥で浸透してきている。

「行く」の敬語（47・3。「行った」の敬語では28・4）では「いらっしゃる」がないというのも特徴的である。方言として「なさる」が変じた「ンサル」（「イキンサル」）、標準語形では「れる・られる」型敬語の「行かれる」が広まっている中、「いらっしゃる」は仁万の中年男女にあるだけだ。標準語の浸透といっても、そのあり方は選択的であるようだ。

「くれる」（67・8）を意味する語には「ゴス・ゴセル」のほかに「ヤンサル」がある。授受表現（A→B）のうち、「やる」（Aが授：AがBにプレゼントを〜。今は「あげる」が一般的）と「もらう」（Bが受：BがAにプレゼントを〜）に対して、「A→自分」のときは「自分が受」（自分がAにプレゼントを〜）は「もらう」なのに、「Aが授」（Aが自分にプレゼントを〜）が「くれる」となるのは不規則で、外国人の日本語学習者が困ることのひとつだが、そこを「やる」

の敬語「ヤンサル」で対応するなら、規則性が保てる。

「ものもらい」(14・0)もおもしろい。標準語となってしまっているこの語は、要するに「乞食」であり、この地域の方言「メボイト」の「ほいと」も「乞食」の意味だ。それは、柳田国男が論証したように、近隣からものを貰い受けて食べれば治るというまじない的療法による名前だ。「メボイト」が略されて「メボ」になり、それが語源俗解によって「メイボ(目疣)」となったのだろう(『島根県方言辞典』は麦粒腫の標準語形を「めいぼ」としているが、そうではあるまい)。「ものもらい」を「モライモノ」と言うのも語源俗解であろう。

新方言とは、「若い人が」「標準語にない言い方を」「くだけた方言的場面で」使っているもので、「若い世代に向けて増えている」「標準語・共通語と語形が一致しない」「地元でも方言扱いされている」「改まった場面で用いられない」等の条件に当てはまるものをいう(井上史雄・鑓水兼貴編著『辞典 新しい日本語』、東洋書林、二〇〇二、一〇四頁以下)。標準語や他の方言との接触による変化などによって比較的新しく成立した表現とされる。

ここでは、標準語でない語で、広戸惇・矢富熊一郎編『島根県方言辞典』(島根県方言学会、一九六三)になく、『辞典 新しい日本語』にあるものをそれと認めた。首都からマスコミ経由でもたらされたものが多いようだが、「ブチ」「バリ」のように近隣から流れ込んできたものや、「ホカス」など関西方言が入ってきたものもあるし、独自の発展かと思われるものもある。「very」の意味の語は昔からさまざまな新しい表現が現われてきたところで、金メダリストも使った「チョー」が流行ったのも古いことでないし、今は若年層で新方言「メッチャ」が優勢となっている（この表現の新方言率は低年齢層で82・5）。そもそも、今は標準語とされている「とても」自身が、「とてもできない」のように否定とともに使われるものであったが、いつからか肯定とともに「very」の意味で用いられるようになった。一九〇一年に長野県上伊那の郡境あたりで初めてその言い方（「トテモ寒いえ」）に接した柳田は驚いている。

高齢者で方言「ゴーガニエル」などと言われ、若年層で新方言「ムカツク」（新方言率：低年齢層で89・5。「ハラタツ」も新方言とカウントした）が優勢な「get angry」の意味の語は、その中間の中年齢層で標準語「腹が立つ・頭にくる」（標準語率：45・8）が使われていて、三者の時間的分布を示す地層のようになっているのがおもしろい。

「コンカッタ（来なかった：6・9）」が新方言とされるのはちょっと驚きだが、たしかに、本来の方言は「コダッタ」だったようである。これはかなり古い時期に広がった言い方であり、一九三二年までにはこの地域でも使われていたらしい（『辞典 新しい日本語』、二四八頁)。今では「コン」の過去形は「コンカッタ」と言って何の疑問もない。「わからなくなる」(7・6)を「ワカランクなる」と言うのは、いま若年層から広がりつつある新しい言い方であるが(新方言率:低年齢層で80・0。「ワカランヨーニなる」が本来の方言だ)、「ワカランカッタ」/「ワカランクナル」は「大きかった」/「大きくなる」の規則性を踏襲しているわけで、時間差のある規則性の獲得現象と見られる。

回答中に『辞典 新しい日本語』にない語がいくつか見られた。「ビクル」「コショイ」などである。新語辞典の宿命だが、新語新表現は次々に現われているのだから、少々古くなれば漏れがあって不思議でない。これらは、「きもちわるい」が「キモイ」、「むずかしい」が「ムズイ」になったように、「びっくりする」(45・0)が「ビクル」、「こしょばい」が「コショイ」となったと知れる(なお、新方言「キモイ・キショイ」の発現率は低年齢層で72・5、「ムズイ」は同67・5)。

「コショグッタイ」「コショバッタイ」というのもあった。「とらえる」と「つかまえる」が「とらまえる」になったように、方言「コショバイ」と標準語「くすぐったい」の合成でこれらの語もできたと思われる。どこで発生したものかわからないが、『辞典 新しい日本語』によれば「コチョグッタイ」が仙台にあるようだ。

国立国語研究所『日本言語地図』（一九六六―一九七四）での標準語形使用率は37％（八二項目中）であり、同じ項目で二〇世紀末期の中学生の使用率は76％だったという（『辞典 新しい日本語』、辞典解説2）。われわれのこの分析は特に方言のよく残っている項目を取り上げ、調査方法も算定方法も違うので比較にはならないが、参考までに書いておくと、65項目で50・5％だった。低年齢層では65・9％、高年齢層で35・5％である。印象で言えば、かりに『日本言語地図』と同じ項目で調べてみても、この地方の低年齢層における標準語使用率は76％より低いのではないか。新方言が無視しがたい大勢力になっているからだ。

言語は常に変化する。これまでもそうだし、これからもそうだ。変化しないならそれは生きた言語でないということだ。その変化の方向のひとつは明らかに標準語化であり、今の低年齢層の成長によってさらに進んでいくであろう。だが、その標準語化も選択的に行なわれているようで、西日本一般の特徴は失われない。標準語化の一方で新方言の発生とその受容という現象も同時に進んでいる。新方言の受容もまた選択的であるようだし、保たれ続ける旧方言もある。変化を重ねつつ、薄まりはしつつも、地域のことばの特徴が失われることはないと結論していいだろうと思われる。

石見神譚

神話を考えるときには、かなりの注意が必要だ。伝承がおそろしく錯綜しているからである。見取り図を書けば、以下のようになろう。

まず、「正史正伝」というものがある。中央政府が認めたもので、要するに記紀（『古事記』『日本書紀』）である。これはテキスト化により固定されたものである。

次に、「副史副伝」。地方国庁がまとめたもので、諸風土記がそれに当たる。これもまたテキスト化され固定している。

エリートの手になるきわめて限られたこの両者の伝承の外に、「野史野伝」の大海がある。神社の縁起由緒や民衆口碑である。それはおよそ無秩序に見える。

それらすべてのおもとに、「原史原伝」がある。それはとうてい見渡せないほど無数にあったはずだ。ここから取り上げられ、選別・編集して正史正伝・副史副伝ができた。それに漏れたものは野史野伝となった。

そのほかに、「異史異伝」というものがあると考えられる。いわゆる中世神話がそれである。

仏教の伝来、その刺激により（一応の）体系化が行なわれ、神道が生成された（中国における道教がそうであるように、仏教は伝わる先々で土着信仰の体系化・宗教化を促す）。そして神仏混淆が起こり、神道を仏教で、仏教を神道で説く試みとして本地垂迹説が現われた。陰陽道も混じり、修験道のようなものもできて、民衆の間に浸透していった。このような混淆の中から形作られてきたのがいわゆる中世神話で、正史正伝・副史副伝とは異なり、こちらは体系化や正典化は行なわれず、固定されずに流動的であり続けた。

「原史原伝」もそうだが、「野史野伝」「異史異伝」に統一はなく、相互整合性はない。その土地氏族ごとに神名から何から大きくも小さくも異なる（神話は本来そういうものである）。

そのような中、江戸時代に国学が起こり発展し、正史正伝の絶対化が進み、明治の国家神道によってそれが貫徹された。その結果、異史異伝は排斥され野史野伝に沈下していった。それより前からも、異史異伝は底辺エリート（村のエリート）に歓迎される性質のものであるから、異史異伝と野史野伝はアマルガムをなすのに何の支障もない。異史異伝は（野史野伝の典拠である）神社の社伝にも非常にしばしば見られるし、民俗芸能・神楽の詞章にも姿を留める。

野史野伝はつねに変容を続ける。そこには原史原伝の残存もたしかにあるはずだが、正史正伝・副史副伝への自己適合化が行なわれ、太古のままではありえない。折おり新たな生成もあったろう。異史異伝も受け入れた。幾重にも重層し変遷しているのが野史野伝である。神社の祭神はたびたび変わることにも留意しなければならない。オオクニヌシを祀ることこの上なく明らかであるはずの出雲大社の祭神が、中世にはスサノオとされていたように。

整合するものはすべて誤りである。それはさかしらごとであり、半端な物知り（筆者のよう な）が整合性を求めるのだ。合理は虚妄の友であり、罠である。資料が少ないから推論をするのだが、推論が精緻になればなるほど虚構に近づく。大ざっぱなものには信頼性がある。もとよりそうでしかありえないのだから。

石見の神話はもちろん野史野伝にしかないので、神社縁起に主に拠りながら見ていくことにする。その際、神話を扱うのだけれども、「古代」を求めてはいない。まして虚構に決まっている「真の古代」など。「心の古代」なら求めている（折口右派である）。

異名同神は疑わしく、もちろん人にもあるように成長につれ名前が変わるということもあるけれども、名が異なれば別の人（神）だと考えるべきだというのはもっともである。「大国主神」は「大穴牟遲神」「葦原色許男神」「八千矛神」「宇都志国玉神」とも呼ばれると『古事記』

が説いていても、名が違えば何らかの違いがあるものと疑っていい。一方、それと同じくらいの正当性をもって、固有名詞にこだわらず惑わされないのもまた正しい。名前ではなく役割性格に注目すべきで、固有名詞を普通名詞と置き換えて考えることが必要だ。

たとえば『播磨国風土記』には「伊和大神」「大汝命」「葦原志許乎命」が出てきて、伊和の大神は「国作り堅め了へましし」とされることからオオクニヌシと、だから大汝命・葦原志許乎命とも同一だと考えられているけれども、これはやはり伊和の地の神ととるのがいいだろう。国造りをしたのはオオクニヌシに限らない。

伊和大神や葦原志許乎命が天日槍（アメノヒボコ）と土地を争ったという話がいくつもある（大汝命はしばしば少比古尼命と連れ立って出る）。たとえば、揖保郡粒丘の条：「天日槍命、韓国より度り来て、宇頭の川底に至りて、宿処を葦原志挙乎命に乞はししく、「汝は国主たり。吾が宿らむ処を得まく欲ふ」とのりたまひき。志挙、即ち海中を許しましき。その時、客の神、剣を以ちて海水を攪きて宿りましき。主の神、即ち客の神の盛なる行を畏みて、先に国を占めむと欲して、巡り上りて、粒丘に至りて、いひをしたまひき。ここに、口より粒落ちき。故、粒丘と号く」、神前郡粳岡：「伊和の大神と天日鉾命と二はしらの神、各、軍を発して相戦ひましき。その時、大神の軍、集ひて稲舂きき。其の粳聚りて丘と為る」等々。しかしながら、このアメノヒボコは『日本書紀』で垂仁天皇の代に渡来した新羅の王子とされており、それと神代の葦原志許乎命の遭遇はアナクロニズムである。土地の神と外来の神の争いと「普通名詞化」しなければならない。

同じように垂仁天皇代に半島から来訪したという都怒我阿羅斯等（ツヌガアラシト）という者もいて、出雲国から笥飯浦に来着した（敦賀の名の起こり）という。こちらは石見の伝説に姿が見える。

延喜式内社のひとつ大飯彦命神社について、今は失われ所在地不明になっているが、「唐の王荒人は、長門の国に来たが、そこの井筒彦に妨げられて都農郷に来た。荒人は牛をつれていて里人に牛耕を教えた。荒人は飯田に大飯彦神社として祀られた」（山本熊太郎『江津市の歴史』、江津市文化研究会、一九七〇）という話が伝わり、飯田八幡宮の旧社地は字「アラヒト」といわれ、明治初年の『皇国地誌』には「字荒人鎮座　式内大飯彦神祠　大背飯三能大人」とあり、今も荒人祠があるという。藤井宗雄『石見国神社記』には「大飯彦命神社　祭神、大脊飯三熊大人」があって、「荒人のつまみ石、高四尺五寸、囲九尺四寸」「稲村と云家の処の畑に在り、或ハ荒人の乗石ともいふ、何頃か子供の障りしに離ること能はす、故に今地に移と云ふ」と書かれている。

風土記は地名起源を説く話で溢れている。「山川原野の名号の所由」を言上せよとの風土記編纂命令にあるのだから当然ではあるが。その地名縁起は神または天皇の言や行為による。今に残る五風土記(『常陸国風土記』『播磨国風土記』『出雲国風土記』『豊後国風土記』『肥前国風土記』)のうち、他の風土記と異なり、『出雲国風土記』はほとんど神によって名づけられている(この点は石見の地名縁起もしかり)。

また、『出雲国風土記』には土蜘蛛が現われない点も、他の風土記と異なる。要するに、天皇のないところに土蜘蛛はない、ということだ(『播磨国風土記』の場合は天皇はあるが土蜘蛛はない)。言い換えれば、天皇の行くところに土蜘蛛が現われる、という関係性が認められる。示唆的である。

正史正伝と副史副伝、そして野史野伝での扱いが異なる例として、『出雲国風土記』の巻頭を飾る雄渾な国引き神話の主人公八束水臣津野命(ヤツカミヅオミヅヌノミコト)がある。古代の名詩であるその詞章を引けば、

国引き坐しし　八束水臣津野命、詔《の》りたまひしく、「八雲立つ出雲国は、狭布《さぬの》の稚国なるかも。初国小く作らせり。故、作り縫はな」と詔りたまひて、「栲衾志羅紀《たくぶすましらき》の三埼《みさき》を、国の餘ありやと見れば、国の餘あり」と詔りたまひて、童女《をとめ》の胸鉏《むねすき》取らして、大魚《おふを》の支太《きだ》(鰓)衝き別けて、波多須々支《はたすすき》穂振り別けて、三身《みつより》の綱打ち挂《か》けて、霜黒葛《しもつづら》聞耶聞耶(繰るや繰るや)に、河船の毛曾呂毛曾呂《もそろもそろ》に、「國來《くにこ》、國來《くにこ》」と引き來縫へる国は、去豆《こづ》(小津)の折絶《をりたえ》よりして、八穂米《やほしね》支豆支《きづき》(杵築)の御埼なり。かくて堅め立てし加志《かし》(杭)は、石見国と出雲国との堺なる、名は佐比賣《さひめ》山、是なり。亦、持ち引ける綱は、薗の長濱、是なり。

亦、「北門《きたど》の佐伎《さき》の国を、国の餘ありやと見れば、国の餘あり」と詔りたまひて、童女の胸鉏取らして、大魚の支太衝き別けて、波多須々支穂振り別けて、三身の綱打ち挂けて、霜黒葛聞耶聞耶に、河船の毛曾呂毛曾呂に、「國來、國來」と引き來縫へる国は、多久《たく》の折絶よりして狭田《さだ》の国、是なり。

亦、「北門の良波《えなみ》の国に、国の餘ありやと見れば、国の餘あり」と詔りたまひて、童女の胸鉏取らして、大魚の支太衝き別けて、波多須々支穂振り別けて、三身の綱打ち挂けて、霜黒葛聞耶聞耶に、河船の毛曾呂毛曾呂に、「國來、國來」と引來縫へる国は、宇波《うなみ》の折絶よりして、闇見《くらみ》の国、是なり。

亦、「高志《こし》の都都《つつ》の三埼（能登半島の珠洲岬）を、国の餘ありやと見れば、国の餘あり」と詔りたまひて、童女の胸鉏取らして、大魚の支太衝き別けて、波多須々支穂振り別けて、三身の綱打ち挂けて、霜黒葛聞耶聞耶に、河船の毛曾呂毛曾呂に、「國來、國來」と引來縫い給いし国は、三穂《みほ》の埼なり。持ち引ける綱は、夜見島《よみのしま》（弓ヶ浜半島）、是なり。固堅め立てし加志は、伯耆国《ははきのくに》なる火神岳《ひのかみのたけ》、是なり。

「今は国引きを訖《を》へつ」と詔りたまひて、意宇社《おうのもり》に御杖を衝き立てて「意恵《おゑ》」と詔りたまひき。故、意宇《おう》と云ふ。

風土記では国土形成という重大事の主人公として巻頭に現われ、またこの神が「八雲立つ」と詔りたまいしにより「出雲」の名が、また同じくこの神の言により「島根」郡の名が起こったとされているように、地域の主要神と見なされるにもかかわらず、『古事記』には、スサノオノミコトの曽孫「深淵之水夜礼花神が天之都度閇知泥神を娶して生める子」として「淤美豆奴（オミズヌ）神」があり、その孫に大国主神があることになっていて、そこに名が出るのみ。無視に等しい。だが風土記でも、実はほとんど出ない。上記三か所のほかには伊努郷に意美豆努命の御子、赤衾伊努意保須美比古佐委気命の社があると記されているところに名が見えるだけだ。祭神としても出雲に四社、石見に一社あるばかりで、配祀されているところも出雲・石見にそれぞれ二社だけだ。

しかし、この神は石見の野史野伝ではかなり活躍している。邇摩郡大国に峨峨と聳える龍巌山の地にやってきたヤツカミオズミズヌノミコトが「角障《つのさは》ふ石見」と詔りたもうたことから「石見」の名が起こったとの話があるし、そこの小祠龍巌社はこの神を祀る。神が駒をつないだという駒繋岩も残る。同郡馬路にはヤツカミズオミズヌノミコトが馬に乗り鞭を持って「馬路はこの方なるか」と問うたことにより名がついたとの話、そして何よりも、八色石（邑智郡布施村・現邑南町）の龍岩神社に伝わる「八束水臣津野命御通過の節、龍岩山の麓に於て美姫に逢ひ給ふ。則ち美姫の願によりて龍神を退治し給ふ」（森脇太一編『邑智郡誌』、柏村印刷、一九三七）という話である。この神社の祭神は当然のようにヤツカミズオミズヌであるが、藤井宗雄の『石見国神社記』には「祭神素盞烏尊・大己貴命・少彦名命」としてある。『石見八重葎』には「抑八色石村と号以所ハ、昔神素盞男尊、八岐の大蛇を切給ふ。其頭飛来り八色の石となりたりと村老の説なり」と書かれ、『石見六郡社寺誌』は「境内に大岩石があり、往古は八色があり、八色石の地名の起源となるという。八束水臣津神が御通過のとき、龍岩山の麓において美姫に遇ひたもうた。則ち美姫の願により龍神を退治し、これを三つに切った。頭は飛んで山頂に止まって化して石となった。これが八色石である。また胴は那賀郡に、尾は美濃郡に飛び、同じく石となった」と書く。大島幾太郎『浜田町史』(石見史談会、一九三五)には「神代に八束水臣津野命天降たまひける。姫神あらはれて告て曰此国に八色石あり、山を枯山とし乾川となして常に来て蒼生を悩ますと。命国民の為に之を退治ばやとおもほして、姫神の教に随ひ其所に至りたまひ、其石を切て両段になしたまひければ、其首は飛て邑智郡の龍石と化り、其尾は裂て美濃郡の角石と化る。是より国に禍なければ姫神実に喜悦ありて、吾許にいさない種々の饗応ある。限なければ、命其所にやとりたまひ、夜明て見たまへば、其姫神忽然と化りて一つの石となりき。命是を見たまひ、此国は奇異しき石見かなとのりたまひけるより、石見と号けるよし」とあって、退治譚に続いて石見の名の起こりも説く。この神社(石見天豊足柄姫命神社)は俗に石神とも称し、社の裏、籬の内にその石がある。

浜田にはまた式内社天石門彦神社もあって、祭神は天石門別命・建御名方命・天照皇大神とされ、「社伝に天石門別命(田力男命)の発祥地なりと謂ふ。神域の一隅に烏帽子岩あり祭神の烏帽子を掛けられたるにより起れりと云ふ。石西、美濃、鹿足は当神社神事贄狩祭の際鹿の足を献り御狩の際猟用の蓑を奉りしより郡名となれりと伝ふ」と『島根県神社概説』(大日本神祇会島根県支部、一九四二)にある。

（ここでついでに石見の延喜式内社を挙げておく。
安濃郡：物部神社（石見国一宮）・苅田神社・刺鹿神社・朝倉彦命神社・新具蘇姫命神社・邇弊姫神社・佐比売山神社・野井神社・静間神社・神辺神社
邇摩郡：城上神社・山辺八代姫命神社・霹靂神社・水上神社・国分寺霹靂神社
那賀郡：多鳩神社（石見国二宮）・津門神社・伊甘神社・大麻山神社・石見天豊足柄姫命神社・大祭天石門彦神社（石見国三宮）・大飯彦命神社・櫛色天蘿箇彦命神社・大歳神社・山辺神社・夜須神社
邑智郡：天津神社・田立建埋根命神社・大原神社
美濃郡：菅野天財若子命神社・佐毘売山神社・染羽天石勝命神社・櫛代賀姫命神社・小野天大神之多初阿豆委居命神社）

伝承には、**巡り歩く神**の一群がある。このヤツカミズオミズヌのほかに、オオクニヌシも石見の地にいろいろ跡を残しており、スサノオもそうだし、タケミナカタもそういう神として名を挙げられている。

オオクニヌシとスクナヒコナについては、温泉津龍御前神社の伝えに、国造りに諸国をめぐっていた大己貴命と少彦名命が、八雲畑で足を痛めたウサギに湯につかるよう教えた、というのもある。ウサギは七日で治った。「八雲畑は温泉の上方の丘陵をさし、ここに昔、老杉がそびえていて、大己貴命・少彦名命の二神が祭られていたという」（石村禎久『温泉津物語』、一九八六：一二三）というものがあるほか、安濃郡多根の佐比売山神社の由緒として、「大國主命諸神ヲ率キテ諸國ヲ巡リ出雲由來郷（飯石郡ニ在リ）ヨリ佐比賣山ニ來リタマフ。山麓ニ沼澤アリ溝渠ヲ穿チテ乾田トナシテ稲種を播キ田人ヲシテ八郷ノ田ニ植エシム其稲八束穂稔穣ス故ニ多根ノ大田ト名ク。大神ノ功徳ヲ尊崇シ本村字中津森ニ神榊ヲ樹テ、之ヲ祭ル及チ此神社ノアル所ナリ」（『島根県安濃郡誌』、安濃郡役所、一九一五）と伝わる。

『万葉集』に「大汝少彦名のいましけむ志都の岩室は幾代経ぬらむ」と詠まれている静の窟は静間の海岸にあるとされているが、一方で邑智郡出羽にも志津岩屋神社がある。「石州邑智郡の山中に岩屋山といふありて其の山を志津の岩屋といひ甚大なる窟あり。高さ三十五六間許内甚広し。里人の言伝に大汝少彦名の隠れ給へる所とい丶志津権現と申也」（『大日本地名辞書』）。「出羽とは志津の岩屋に有名なる巨岩五つあり依て「五石（イッツイワ）」といったのが転じて「イヅハ」となったといふ」（『邑智郡誌』）。

後述スサノオの半島往還を写したごとき部分も混じっているのが邇摩郡大国の八千矛山大国

神社（氏宮さん）の社伝で、「八千矛山に御鎮座大国主神とて、出雲の国より高麗に渡り給い、帰途当村のつづき邇摩の海、唐島に着き給い、此里に来り給い、大樹の松に雨露を凌ぎの由にて、其地を今に笠松と申伝え、蒼生尊崇奉りて、仮りに殿を奉遷し候処となす。それより八千矛山に宮居を定め給うによって大国と申す由、大国主神御鎮座の所を氏宮と申して、往古より此の神を氏神と尊仰奉り候、其後足利家より八幡宮を氏神に祭る可しと御布令これ有候云々」。そして「本殿の真上の岩山の中腹にある「みこもりいわ」と呼ぶ神跡がある」。「この神跡に感動した幕末の国学者野々口隆正が七十二歳にして姓を大国と改めた」（『仁摩町誌』、昭和四七年）。

隣村馬路の乙見神社でも、「古老の伝えにいう。大物主神、御船に乗りて国巡りします時に、御船の艫をつなぎたまいし島を艫ケ岩という。御子神等をひきいて海路に遊びたまう所を神子路と呼び、宮ノ名を城上社といい、その里を可美村と名づく。後に馬路村と改める」（『石見六郡社寺誌』）。鬼村の大年神社（祭神：大年幸魂大神・大年奇魂大神・天照大神・田岐津姫命）では、「古老は言う。太古中国いまだ平定せざりし時、大国主大神、隣村なる大国村に降りまして、国土を経営せられしも、なおまだ禍神は荒びてありける。ここにおいて、大国主神深く考えられて、大年幸魂大神を招き荒振神等の荒ぶる心を鎮めさせ給い、農業の道をもってせしめられた。オニムラは鬼群にして荒ぶる禍神の巣窟なりとして、これを鎮め給わんとして各諸神たちをおぎたてまつりしなりと言う」(同)。
また、邑智郡矢上の諏訪神社の祭神は建御名方神・八坂刀売神で、「太古此の地に邑智須々美神と申し上ぐる神がましましたと古老曰伝へられ、又石見風土記にこの神は大国主神の御子御母は沼河姫命にしてその御名に依て邑智の郡名も茲に起りしものと誌され、そしてこれを物語るものに当村の地名郡山に郡石と称へる霊石があって、邑智須々美神と崇め奉り之を御祀りした邑智郡石神社が在り合祀の後もその遺れる霊石は大神の遺跡として村人は畏敬し大切に取り扱っている。そしてこの神は当社の御祭神建御名方神の又の御名であるとある」(『邑智郡誌』)。「合祭神邑智須々美神は邑智郡石神社とも称し矢上村郡山に鎮座。古老伝曰、大古此地に女神あり、邑智姫といふ。建御名方尊国巡りまし、時彼女神を娶りて此郷に住み給ふ。今郡石あり之を祭りて神とす。其の形亀の如し、色紫黒、高さ二尺三寸余、長さ六尺余、横四尺」(同)。

ただし『石見六郡社寺誌』では、「古老の伝にいう。太古この地に女神があった。邑智姫といった。素盞鳴尊が国巡りをなさった時、かの女神を娶って此の郷に住みたまうたという。今郡石があって、これを祀る。この郡石は、其形は亀の如くで、色は紫黒、高さ二尺三寸余、長さ六尺余、横四尺、地中にある所は量ることができない。この郡石を祭って神としている。この祭神は美穂須々美神ともいう。地方開拓の祖神としてあがめている」と、巡り歩いていたのはスサノオだとする。どちらでもいいのだ。普通名詞の部分に固有名詞は入れ替え可能なのである。

神話には**飛び来る神**もいろいろある。わけてもおもしろいのはサヒメ伝説だ。

美濃郡乙子の佐比賣山神社所伝によると、

「高天原にて乱暴を働いた須佐之男命は、天照大神の怒りに触れられ、髪を切り、髯を抜かれ、手足の爪も抜かれて高天原を追放の身になった。放浪の途中、ソシモリ（朝鮮）に立ち寄られた須佐之男命は、大宜都姫命（オオツゲヒメノミコト）に出会い 食べ物を求められたが、姫は道中の事とて恐れながら口中の飴ならばと差し出すと、須佐之男命は「無礼である」と大いに怒り、その場で姫を斬ってしまわれた。

大宜都姫命は、息も絶え絶えの時に我が娘狭姫を呼び、全身の力を振り絞り、顔・胸・腹・手・足など五体を撫でさすりながら、稲・麦・豆・粟・ヒエなど五穀の種を生み出された。そして、佐姫に向かい五穀の種を授ける。

「母無き後は豊葦原に降り、五穀を広めて瑞穂の安国とせよ」と言い残して、母神の息は途絶えた。佐姫は母の亡骸にすがって泣き悲しんでいたが、その時、どこからとも知れず飛んできた一羽の赤い雁に促され、涙をぬぐって五穀の種をたずさえ、雁の背中に乗って東方へ飛び立ったのである。

やがて雲間より、ひとつの島（見島）が見えた。佐姫はその島に降りて種を広めんとしたが、荒くれ男達がいて、「島では魚や鳥、けものを獲って食うので、種はいらぬ」と言った。

佐姫は、次の島へ行った。高島である。ところがそこでも、「魚を獲って食うから、種はいらぬ」と言われた。

そこで、次は本土に渡り、天道山（テンドウヤマ）を経てひと際高い比礼振山（ヒレフリヤマ）（権現山）へ降りたのである。佐姫は、この山を中心として五穀の耕作を 広めながら種村、弥栄、瑞穂。佐比売村など東へ東へと進み、遂に小三瓶まで行くのである。

最初に耕作を始めた村が、大宜都姫命末娘（＝乙子）ということにちなんで今の『乙子町』となり、種を伝えられた事から『種』の名前がつき、『赤雁』の地名も赤い雁が降りた事から付けられたという」。

この神話が大島幾太郎（『那賀郡史』）・石村禎久（『石見銀山三瓶山秘抄』）の書くところではさらに広がっていて、サヒメはチビ姫とも言われ、一つめの島では姫は鷹に追い払われて、それが高島、二つめでは大鷲に追い払われ、そこは大島だとするほか、乙子、赤雁、種からさらに行くと、巨人の足跡を見て驚く。その巨人のひった糞が大糞山(那賀郡井野の野山嶽)となった。また岩穴でオカミという頭が人で体が蛇というものにも遭った。岡見の名がそれから出た。足長土という足の長い大男(!)、手長土という手の長い大女(!)にも遭い、夫婦にしてやった。足長土・手長土は三瓶山で暮らし、彼らのために多根で穀物の種を播き、小豆原で小豆、大水原で水を用意してやった、というふうになっている。たしかに三瓶周辺には多根村があり、赤雁山がある。多根には佐比賣山神社も鎮座する。

巨人の糞が山となった話に関しては、安濃郡吉永の式内社の名がおもしろい。「新具蘇姫命神社」である。糞はよい肥料であるから、地味を豊かにするものとして昔の人はそれを称えもしたのであろう。糞は埴土となる。『石見国神社記』には、「社伝に新山は新具蘇姫命の御廟地なり赤土青土多シ元和年中まて新具須山と唱ふ元禄年中代官後藤覚右衛門御林となす麓に埴安田と云ふ地二所あり今は訛て上の安田(アンダ)下の安田と云ふ埴内田波迩夜田と云あり埴屋と号ふ家あり」とある。姫神の名として不適切とは思われない。

国引き神話で名高い「佐比売(さひめ)山」の名が今の「三瓶(さんべ)山」になったのには、自然な発音の変化もあろうし、次の話によるところもあろう。

物部神社の社伝に、祭神がこの地方を平定された時に三つの瓶を三ヶ所に据えた。一番目の瓶は物部神社の一瓶社(いっぺいしゃ)に納め、二番目の瓶は浮布池の邇幣姫神社に、三番目の瓶は三瓶山の麓の三瓶大明神に祀られている。一瓶社には室町時代の古備前の二石入り大甕が現存し、それを使って神饌用の御神酒を造っている。このことから三瓶山の名が起こったと。

このうち、二つめの邇幣姫神社は式内社であって、二か所に同名の社がある。ひとつは三瓶川・静間川下流の土江に、もうひとつはここに言われているように上流三瓶山麓浮布池に鎮座する。「二」は「埴」と解することもでき、そうすると土の女神ということになって土江がその社ということになるが、瓶のほうの話を採るならば浮布池のほうになる。こちらのほうは、「棟札に厳島神とあり此外元禄の頃まで厳嶋神とあるを宝永四丁亥年に至て初て迩幣姫命と申出たり」(『石見国神社記』)ということで、中世は厳島の神、つまりは弁財天社であったらしく、池畔の島というロケーションを考えればそれは自然であるけれど、古代—中世—近代の祭神変遷の一例でもあろう。

今に残る佐比売山神社は、安濃郡多根・鳥井・邇摩郡大森・美濃郡乙子と四つある。しかし昔は三瓶山麓の八か所にもあった。安永四年(一七七五)の記録に「八面大明神三瓶山又形見

山トモ云フ　麓八ヶ所祭所如左／池田村三瓶谷一座、久部村氏社一座、志学村氏社一座、多根村氏社一座、山口村氏社一座、角井村湯比社一座、同村土木社一座、上山村氏社一座／右何レモ佐比売山神社也」（白石昭臣『畑作の民俗』、雄山閣、一九八八：一五二）。ヤツモトという山麓の湧水のある八か所がこの八面大明神を祀る地である。池田村字亀岳の佐比売山神社は高田八幡宮に合祀されたが、その祭神は大物主命・須勢利姫命・八束水臣津野命・佐比売山神とある（『石見六郡社寺誌』）。なお、小屋原の三瓶山神社（『石見国神社記』には若一王子社とある）の摂社に杵那都岐神社（祭神：八束水臣津野命・大己貴命）があると書かれている。出雲大社境内の杵那築森との関係があるだろうか。

延喜式には安濃郡と美濃郡に佐比売山神社の名があり、美濃郡のほうは乙子のもの、安濃郡のは当然三瓶山麓の神社であるはずだ。現存四つの佐比売（佐毘売）山神社のうち、大森の神社は永享六年（一四三四）に大内氏が乙子の神社から勧請したものだから、新しい。それは乙子の神社が金山彦命・金山姫命を祀っていたからで（ほかに埴山姫・木花咲耶姫・大山祇命）、大森銀山採掘に当たって鉱山の神を招来したのはいかにもである（乙子は都茂鉱山に、近いと言うほどではないが、遠くはない）。鳥井の佐比売神社は同じく金山彦・金山姫を祭神とし、ここには百済という地があり、そこにタタラがあった。多根の佐比売山神社の祭神は大己貴命・少彦名命・須勢理毘売命である。三つの神社において考えさせられる鉱山との関係はともかく、いずれもサヒメを祀ってはいない。前に挙げたように、多根の神社の由緒として、オオクニヌシが諸国を巡って佐比賣山に来り稲種を播いたと言われているのは、サヒメの如く穀物を広めたという語りとして同一であるが、主人公が違う。乙子の神社はもと比礼振山の山頂にあり、五社大権現といった。それよりこの山を権現山という。どちらにしてもサヒメ山ではない。

サヒメをめぐる筋道は非常に錯綜していて、三瓶山がサヒメ山だったことは風土記により間違いなく、サヒメ山神社もあったわけだが、美濃郡にサヒメ山神社があったことも延喜式で明らかだ。サヒメ神話は主に美濃郡について語られ、三瓶に関して言われるところは弱い（後人の付会の匂いがする）。しかしながら三瓶山周辺にも多根村があり、そこの佐比売山神社に農作伝播の伝承があり、赤雁山の名もある。偶然では片づけられまい。

石見一宮物部神社の祭神は、鶴に乗って飛来した。この神社の祭神は宇摩志麻遅（ウマシマジ）命で、物部氏の祖饒速日（ニギハヤヒ）命の子である。

「中国平定の後命は天の物部を率ゐて王化に浴せざる匪徒討伐の為め濃尾、播但を経由し石見に入り給い都留夫、忍原、於爾、曽保母里の各所に屯聚せる兇族を平げ国中を鎮めさせられた。

都留夫は川合村の南端の高阜で、忍原は其西五丁にある。其附近には鬼の城戸、鬼の茶臼など称する岩窟がある。物部明神が鬼を退治せられた所を伝へて居る。又命が大和国から降臨し給ふ時に鶴に乗りて降らせられたとて此山を鶴降山と云って居る。そして其の時に厳甕を据えて天神を祭り給うたと伝へ其瓶今に境内に斎き祀って一瓶社と云って居る。上古交戦の時甕を据えて軍神を祭ったのはこれが起源である。

命は鶴降山に降られて四方の景色を眺め、「不思議にも此山は天の香具山に似て居る降り居らん」と仰せになった。依って此処を折居と名づけた。(御腰岩と称する巨岩がある)そして大和朝廷へ一度復命され、「石見の国は常世の浪の寄せ来る国なれば彼国の八百山に在って国家を守備せん」と希望を述べられ、勅許を得て再び降り来て宮を造営されたのである。そして命は活目邑五丁呉桃の女、師長姫を娶って二子を生み、第一の御子味饒田命は此地に留まられ、父の遺業を継き鎮衛に任じ、民業を興し、弟彦湯支命は内物部を率ゐて天皇に仕へたまうたのである。命十六世の孫物部尾琴連の長子を物部竹子連と云ふが金子家の祖である。景行天皇の時国造となり、部族を率ゐて石見の鎮衛に任じ、初め国府に居たが、後川合に移り一国の祭政を掌った」(『島根県口碑伝説集』)。

この神の墓とされるものが神社の裏手にある。

石見でも盛んであったタタラ製鉄の神である金屋子神も、白鷺に乗って出雲の西比田に飛来した。『鉄山必用記事』によれば、播磨国宍粟郡の岩鍋という所に高天原からひとりの神が天降りなされた。人民が驚いて如何なる神やと問うと、「われは作金者（かなだくみ）金屋子の神なり」と言って、盤石を砕き鍋を作りたもうた。それゆえこの地を岩鍋という。しかしこの四方には住めるような山がなかったので、神は「われは西方を司る神なれば、西によき住所あらん」とて白鷺に乗って西国に赴き、出雲国能義郡なる黒田の奥非田（西比田）の山林に着いて、桂の木の枝に羽を休めていた。そのとき安部正重なる者が狩りのため犬を引き連れ山に来ると、犬たちが木に光を見つけて吠えかかった。正重が「いかなる神ぞ」と問うと、「われは金屋子神なり。この地に住み、タタラを建立し、鉄を吹く術を始めるべし」と宣った。正重慎んで承って、所の長田兵部朝日長者にわけを話して社を建てさせ、神主となって神楽御供を捧げた。すると神は「まずここに火の高殿を建てよ」と宣った。神の教えに従い高殿を造ると、七十五柱の童子神が天降った。神は自ら村下（むらげ）となって、七十五品の道具を作り、木を手折って杉磨の鞴を作りたもうた。長田兵部が長床を整え、炭と粉鉄を集めると、神は天を仰いで吹きたまえば、神通力の印、鉄の涌くこと限りなし、云々。

また、海の彼方から**寄り来る神**もある。

スサノオが朝鮮半島のソシモリから出雲に来たことは記紀も言うが、石見でもその渡来についての伝説が多くある。

「五十猛（いそたけ）神社は大字湊に在る。五十猛命と爪津姫命、大屋津姫を祭る、五十猛命は此村には頗る由緒の多い神様である。命は須佐嗚命の御子と御父神と共に韓国を征せられ、帰航御上陸になり、韓国より八十種の樹の種子を持ち帰り給ひ、此地を初め日本国内に播殖せしめ玉ふたのである。そこで此村には命に関する伝説が多い、序にこゝに記すと、五十猛駅より西方五丁切割の一端に神別阪と云ふのがある、命が大屋津姫命、爪津姫命と御上陸後分袂せられた所で、命は此地にとゞまり、両姫命は大屋村へ遷られたのであると。又同駅より北方海岸の巌山は薬師山で素命が韓国より帰航の際薬艸を採集せられた所と伝へ、五十猛沖合の神島は命等御父子御帰航の途第一に御上陸の地と称せらる。それから五十猛駅の東方逢浜と云ふ処は前記両姫命と五十猛命との行逢はせられた所であると」。

「邇摩郡五十猛村字大浦泊り山に新羅神社がある須佐嗚命を祭神としている。（…）近傍には高麗、百済と云ふ旧跡があり湾中よりは海艸を産し、産婦の守りとされて居る」。

また、宅野の韓島について、「神代の昔須佐男尊が諸樹種を播植の為め数次韓国へ渡航され往反の節屡此の島に船を繋かせられた遺跡で、島内には韓島神社を祭ってある」。温泉津町小浜の厳島神社境内社の衣替神社の伝えは、「素尊韓国より石見に帰られ、更に韓国へ向はんとせられんとする途次、小浜の海岸笹島に生ひ茂った篠竹を箭にせんとて採取せられし時、磯越す波は御衣の裾を濡らした。尊は浜田川で衣を濯がせ給ひ側なる石に衣を掛けて乾かせられた。川中の辛螺蛭などが寄り集まって御裾に纏った。尊は之を御覧じて「目穢きものよ」とて辛螺の尻を穿って放ち、蛭の口を撚りて棄て、甚だしく懲らさせられた。これによって今に至るまで、此地方の辛螺は尻切れとなり、蛭は血を吸はぬやうになった。里人等は御稜威を尊んで衣替神社を建てたと」（以上『島根県口碑伝説集』）。

半島とのつながり繋きが感じ取れる。

スサノオの子とされる五十猛命については、なかなかむずかしい。『日本書紀』神代上に「一書に曰はく」として、「素戔嗚尊、其子五十猛神を帥ゐて、新羅国に降到りまして、曽尸茂梨（ソシモリ）の処に居します。乃ち興言して曰はく、「此の地は吾居らまく欲せじ」とのたまひて、遂に埴土を以て舟に作りて」、出雲の鳥上の峯に到りオロチ退治をするのだが、その続きに、「初め五十猛神、天降ります時に、多に樹種を将ちて下る。然れども韓地に殖ゑずして、尽に筑紫より始めて、凡て大八洲国の内に、播殖して青山に成さずといふこと莫し。所以に、五十猛神を称けて、有功の神とす。即ち紀伊国に所坐す大神是なり」。また、素戔嗚尊が鬚を抜いたら杉、胸毛を抜いたら桧、尻毛を抜いたら柀、眉毛を抜いたら樟になった。「時に、素戔嗚尊の子を、号けて五十猛命と曰す。妹大屋津姫命。次に抓津姫命。凡て此の三の神、亦能く木種を分布す。即ち紀伊国に渡し奉る」と書かれている神で、『古事記』では、八十神から逃れた大穴牟遅神が赴く「木国(紀伊国)の大屋毘古神」が五十猛神であるとされる。たしかに、妹に大屋津姫命がいるならその名がふさわしくはある。

そもそもその名の読みが「イソタケル」「イタケル」「イソタケ」「イタケ」と一定しない。紀伊国には一宮として伊太祁曽神社(和歌山市)があり、その祭神であるのだが、そこでは「イタキソ」と読む。射盾兵主神社(姫路市総社)の祭神は射盾大神と兵主大神で、射盾大神は五十猛神、兵主大神は大己貴神とされる。射盾神は神功皇后が三韓へ船出するときに祀られたという。ここでは「イタテ」。それは出雲の式内社にある韓国伊太氐神社と同音である。延喜式には意宇郡玉作湯神社・揖夜神社・佐久多神社、出雲郡阿須伎神社・出雲神社・曽枳能夜神社にそれぞれ「同社坐（同社神・同社）韓国伊太氏（奉）神社」があるという（岡谷公二『神社の起源と古代朝鮮』、平凡社新書、二〇一三：一一六以下）。

さらに、奥出雲仁多郡横田に伊賀多気神社があり、その祭神が五十猛命である。ここでは「イガタケ」だ。加えて、「竹崎と中帳の間に五十猛命を葬り、鬼神大明神と曰ひしを、此の処より去って西北四十町許りの角村に徙して、いま伊我多気大明神と曰ふ是なり」と岸崎時照の『出雲風土記鈔』に記されているという（岡谷公二『伊勢と出雲』、平凡社新書、二〇一六：一六二）。その鬼神神社の前には巨石があり、スサノオノ命と五十猛命が新羅から乗ってきた埴土の船が化したものだといい、裏山には「五十猛命御陵地」なるものがある。

大島幾太郎の『那賀郡史』（旧那賀郡教育会、一九四〇）は須佐之男命親子ソシモリからの渡来の話を語って、スサノオとその子イタコソ命、抓之（ツマツ）姫、大屋姫が「先づ長門の幸山を目当に、こちらに御着きになり、それから東、石見の海なる高島、津摩の浦など経て、出雲へ行かれる途中、石見の海路をよぎり、海ばたのあそこ、ここに立寄りなされた。その時頃、神主神村の海は神主の口屋宮倉より東南、今いうイタコソ清水が尻辺まで、入海であった。そこへ丸い丸い椀の様な舟に乗って来られた」と、まるで見てきたような書きぶりながら、五十猛命を「イタコソ」とする。それを姫とする話もあって、「素戔嗚命は韓国から現在の須佐の神山（高山）目当てに渡り出雲への途次、円い船に三人の娘と共にタマト（多鳩）の入海によられた。うちイタコソ姫をここへ上陸させられた。姫は春の神で木の種子をタマトの地にまかれた。他の爪津姫は宅野へ、大屋姫は磯竹（五十猛）へ寄られた。イタコソ姫の上陸当時は今の口屋一帯が入り江で、「清水が尻」の地名も残っている」（山本熊太郎『江津市の歴史』）。何にもせよ、「イタコソ」ならば紀伊国一宮の「イタキソ」に通う。

邇摩郡大屋村の大屋姫神社は祭神が大屋津姫命で、「古老の伝にいう。神代須佐男命、御子五十猛神、大屋姫神の二柱を率いて唐国より帰り、宅野村の韓島に御船をつなぎ大浦に御鎮座、五十猛神は磯竹の地に、大屋姫はここより別れ、南北一里半余を進み此処に鎮座ましました。これ本社の創建なりと」（『石見六郡社寺誌』）。

それぞれわが土地に話を引っ張ってきたと思われるのはさておき、ともかく石見・出雲と新羅の関係が深かったことはわかる。

タゴリヒメ（田心姫）は正伝によればアマテラスとスサノオの誓約（うけひ）の際に生まれた三女神の一人で、イチキシマヒメ・タギツヒメとともに宗像神社に祀られる。しかし中世にはそれが、法華経を守護する鬼神である十羅刹女、本来十人の羅刹女（藍婆・毘藍婆・曲歯・華歯・黒歯・多髪・無厭足・持瓔珞・皐諦・奪一切衆生精気)であったはずが一人とされたところのこの十羅刹女と習合された。

『石見八重葎』波志村の条に見える「須佐能男命御子田心比賣御心荒々敷により、父神御心にかなハせす艪櫂なき舟乗奉り海中へ御流し有しに、今の此浦の神江と申す所に流寄玉ふ(…)其後出雲国へ十羅より異賊此国を討取らんため来るに付夢中の御告に田心比賣を召返し此度大将となさは必す勝利有へしと詔り(…)此御神御帰りの上十羅の賊を討亡シ玉ふ故、十羅殺女と御神号奉申此古跡故此所に右御神御鎮座。隠石村にも御神奉祭り」云々という話はおもしろい(ただしここでは、十羅が異賊住む異国の名と見て、それを殺したから「十羅殺女」の名となったと説明している)。

山本熊太郎『江津市の歴史』は、「須佐能男命の末といわれる六―七才の田心姫は「はこぶね」に乗って神江(みごう、今の波子美郷浦)に漂着された。老夫婦は篠の心を箸として毎食毎に取り替え大切に養育した。十二・三才の頃姫は東の出雲の狼火を見て抜け出された。爺と媼は驚いて後を追うたが椎の木の森隠石で見失い、大川(江川)を渡って浅利まで追跡したが遂に倒れ、追いついた媼もすがりついてなくなった。姫は出雲の急を長浜で防がれたという。後年早速神として津門神社に合祀されるに至った」と記す。「嘉久志村は昔波子の老父母から逃れて出雲の急に走る田心姫（羅刹女）が、ここの鳥居前の岩（長さ三尺横四尺）に隠れたので隠れ石といわれ、この因縁から聖武天皇神亀五年（七二八）に嘉久志村となった」（同）。波子のほうでは、津門神社について、「波子海城山に鎮座。祭神は天足彦国押入命の裔米餅搗大使主命で、寛平三年（八九一）宇多天皇の御代筑紫宗像郡から勧請した。その上陸地点「神様島」は神聖視され神幸式はこの浜で行われ、青灯篭と海蛇一匹を上る旧慣がある。ここに十羅刹女田心比売命が合祀されている」（同）。

タゴリヒメ／十羅刹女が駆けつけた先の日御碕神社の社伝には、「孝霊天皇六十一年十一月十五日、月支国王玻瓊（はに）が、兵船数百艘を率いて、我が出雲の日御碕に攻めてきた。それはその昔、日の本の神、八束水臣津野命が、出雲が細長く狭いというので、新羅の御崎から、国の余れるところを見付けて国引きをした。彦玻瓊（ひこはに）はそれを取りかえすために押し寄せて来たのである。

これはただ事ならじと、時の日御碕の小野検校の祖先、天葺根命十一世の孫の明速祇命が勇敢に防戦に当たった。それを見ていた遠祖の須佐之男命も、天上から大風を起こしてこれを助けられた。さすがの玻瓊の軍勢もこれにはかなわず、大軍はことごとく藻屑となった。この時、玻瓊の軍船が、その艫綱を結び付けていたのが、今も日御碕の沖合に浮かぶ艫島であると伝える」(『大社町史』下、一九九五)という話がある。

　この神話については史料がいくつもある。『石見国神社記』は津門神社の祭神を胸鉏比賣命とし、「当社と嘉久志村の十羅刹社と共に日御崎社に由緒ある社なり」と記している。波子は大永三年(一五二三)、尼子氏によって日御碕神社の社領に寄進されているのだ(『大社町史』上、大社町、一九九一：七二七)。日御碕神社の祭神は、今は上の宮(神の宮)がスサノオ、下の宮(日沉宮)がアマテラスであるけれども、中世から近世にかけては十羅刹女とされていて、かつ彼女はスサノオの娘とされていた。タゴリヒメがスサノオの娘であるから、タゴリヒメ＝十羅刹女ならそうもなろうが。謡曲「大社」後ツレとして出る天女は「われはこれ、出雲の御崎に跡を垂れ、仏法王法を護りの神、本地十羅刹女の化現なり」と謡う。この曲は観世彌次郎(一四八八―一五四一)の作である。

　耕雲明魏の「日御崎社造営勧進記」(応永二七年／一四二〇)に、「昔「月支国」の悪神が巨船に乗って来寇し、「荒地山の旧土」を征服しようとしたとき、日御崎社の霊神が霊剣を飛ばして賊兵をことごとく漂没させ、以来、異国防禦の神効は今に至るも絶えることがない」と書かれているという(『大社町史』上：七〇九)。

　今は演じられぬ謡曲「御崎」がこの神話を完結した形で示している(『謡曲全集』下、国民文庫刊行会、一九一一）。まず「そさのをの尊」が出て、「天竺月支国、うしとらのすみかけ落、海上にうかみ風波にしたがひ、豊葦原出雲の国に流れしより、不老山となる」と語る。それを取り返し、この国を攻め取りに「朦胡」「北天竺月支国、ひこはねの天皇」が八万艘の船をもって押し寄せるのを迎え撃たんとするところへ、十一歳の姫がやってくる。「岩見潟はしの浦波立出て、江津《えづ》の渡りうち過て、宅《たみ》の〻島やたるみがた、鳥井の山に鳥をはや、出雲路は是とかは、田儀の港の浦つたひ、〱、久村《くむら》清松いたづらに、行くも帰るもあら磯の、吹上の浜風や浪にうき身のなり渡り、小舟も法に神上《かみあげ》の、松も千年のよはいぞと、月をぞになふたわむ身と、あふこの浦による波の、そがの里にぞ着にける」との道行きあって、尊の前に「我はこれそさのをのみこと第三の姫にて候」と名乗る。怪しむ尊に、「抑母君と申奉るは、はらげつら龍王の姫宮」、尊により懐妊し、十三月ののちに生まれたが、「思はぬ中の子なりけりとて、柏の葉につゝみ、是は汝が父、守護の為におかれし、とづかの劔を取そへ海底にしづめ給へば、あたりなる小島の磯により給ふ、見るもかなしやとて、また海に入給ふ。それより彼島を柏島と申也。六十一日と申には、石見なるはしの浦波よるとかや。然ればあけつかた、磯ものゝ為にとて、漁人夫婦出けるが、もくづの中をあやしめば、柏の葉につゝめるもののありけるが、あたりのかゞやくばかりなる、玉姫にておはします。我等今まで、子のなき事をなげきしに、是は天のあたへぞと、よろこびの袖にいだきとり、我家に帰りいつき、かしづきける程に、九の秋半夜なるに語申なり」。駆けつけた姫は「ひこはね」と戦い、白鳥と変じて大石を敵船に投げ込み、「朦胡」の首を切り落とした。そして「則女体は、十羅刹女と現じ給ひ、国土豊にうごかぬ御代と成にける」と納める。

これが作られた年代はわからないけれども、石見出雲の地名を詠みこんだ道行きがあることと、またその地名が必ずしも正確でないことから見て、先行する詞章があり、それをふまえたように思える。そう考えると、波子に流れ寄り老夫婦に育てられ、急を聞いて日御碕に駆けつけるという「波子姫神話」の部分、波子の日御碕との関係について、尼子氏による波子の日御碕社領への寄進(一五二三)によってできたのか、または因果逆にそのような話があるから波子が日御碕神社に寄進されたのかという問題は、おそらく後者だということになろう。

北山は異国から流れ着いたものであるとの語りは、「鰐淵寺勧進帳案」(建長六年/一二五四)に「右、当山者異国霊地・他洲神山也、蓋摩竭国中央霊鷲山巽角、久浮風波、遂就日域、故時寺号、日浮浪山云云」に見える(中上明「神楽能「十羅」・「日御碕」について」、『山陰民俗研究』九、二〇〇四:五三)。ただこの場合は、天竺マガダ国の霊鷲山の一角が流れ着いたことになっている。『懐橘談』(一六六三)は「当山より美保の関までを北山といふ。天竺霊鷲山の乾の角自然に崩缺けて、蒼海万里を流れ豊葦原に漂ひしを素盞雄尊杵にて築き留め給ふ故に杵築といひ、此山を浮浪山とも流浪山ともいひ伝へたり」と記す（池上洵一『修験の道』、以文社、一九九九：一四〇）。これは霊山が天竺や唐土から飛来したという中世神話（『渓嵐拾葉集』に「霊鷲山の艮の角闕けて飛び来たりて唐土の天台山と成り、天台山の艮の角闕けて我が国の比叡山と成れり」のように。池上前掲書：一二二）の一ヴァージョンで、飛来峰説話の国引き神話に寄った変奏となっている（寄せ固めたのはヤツカミズオミツヌでなくスサノオとなっているが、オオクニヌシを加えたこの三神が入れ替え可能であることは前に見たとおりである）。

出雲神楽・石見神楽には「日御碕」（出雲）・「十羅」（石見）という曲がある（中上前掲論文）。迎え撃つ神は出雲神楽で日御崎大明神、石見で十羅刹女となっており、攻め寄せる鬼は彦春（ほかに彦晴・彦張などとも）、石見では彦羽根である。石見神楽の場合、なぜか高津や柳など美濃郡・鹿足郡にばかり伝わっているが、しかし宝暦十一年（一七六一）の「和木十二ヶ村神楽役指帳」にこの演目が見える（『邑智郡大元神楽』、桜江町教育委員会、一九八二）。和木は嘉久志の隣村）ことから、石見中央部にもかつてはあったようだ。十羅刹女であっても、「雲州日の御碕鰐淵山に住居する十羅刹女と申すなり」と名乗るように（高津神楽。矢富巌夫『石見神楽』、石見神楽高津社中、二〇〇〇)、波子からやってくるわけではなく、出雲・石見両神楽とも「波子姫神話」「流れ寄る島(浮浪山)神話」は言及されない。謡曲「御崎」と出雲神楽の「日御碕」や石見神楽の「十羅」の関係はどうかと考えるに、このように「御崎」との異同が少なからぬところを見れば直接それに由来したかどうかは疑われるが、大いに関係があるとは思われる(石見神楽が鬼の名を「彦羽根」とするのは「御崎」と同じで、出雲神楽は少々異なる)。

ここでおもしろいのは備後比婆郡東城町の「ノウノ本」(寛文四年/一六六四)にある「十ラセツキナツキ」である(岩田勝『神楽源流考』、名著出版、一九八三:五一四以下)。「須弥山ヨリ北ニ当ツテフロウ山トテ金ノ山有、彼山ノ戌亥ノスミカケテヲチ海中ニ入、日本出雲国大社ノ北ノ方ニナガレヨリ、フロウ山トナリアラワレタリ」。「天竺ワレカツノ尊、此山ヲヲシミ給テ、取カヱサントテ、千ゾウノ船ヲウケ、十万八千人ノ鬼ヲ指向ケ給」と続け、神は「雲州神戸ノ郡スツサイノ里枕べノウラニ住舞仕ミサキ大明神トハ自事ニテ候」と名乗り、鬼は「鬼界高来ケイタン国キツサ白サ、ヲウエゾガシマ、一万五千人ノ鬼ノ王ニムクリコクリトハ我ガ事」と名乗る。ミサキ大明神は十人の十羅刹女と三十番神を引き具して、「鬼マン国ヨリムクリコクリトユイシ鬼、此山ヲウバイトラントタクム」のを撃退する。その際、天から大鳥現われて大石を投げ落とすこともあった。「浮浪山神話」あり、神はミサキ大明神、鬼はムクリコクリ、経典通り十羅刹女は十人の羅刹女、「波子姫神話」なし、というふうに、謡曲「御崎」と現行出雲・石見神楽曲とさまざまに異同がありながら、両者をつなぐ位置にあると認められる。「十ラセツキナツキ」の題も興味深い。「キナツキ」（杵那築であろう）と付されている点もそうだし、曲中単に引き具されているだけの「十羅刹」が表題になるのは妙だ。それを表題とすべき由縁がほかにあったはずだ。

「神楽能の十羅刹女の説話は、おそらく浮老山鰐淵寺に拠る修験者たちが、御崎大明神を文字通り鰐淵寺のミサキと観想するなかで成立していったものと思われる」という岩田勝の指摘（『神楽源流考』：五一六）はおそらく正しいが、そこまでは踏み込まない。史料多ければ整合への意欲がそそられるけれども、結局「波子姫神話」の部分は、うつぼ舟で小さな御子神が寄り来りたまうと考える神話の想像・創造力がここにも働いていると確認するだけで終わる。

そのほかにも拾い上げれば、

「邇摩郡湯里村大字西田の水上神社は上津綿津美命上筒男命の二神を祀る。神代の昔伊弉諾命日向の橋の小門に身滌し給ひし時産ませられた神々と共に温泉津殿島に上陸され、命は此地に鎮座せんと宣ひしより此の地を日祖と称することになった。外の神には別れを告げ、小浜に行かせられた。其告別の地を神別阪と云ふ。その夜小浜に仮宿して（仮屋谷）飯原に至り鎮座しては如何とありしも否と（イヤの名あり）宣ひ、それより湯里に出で、遂に西田の水上山に鎮座せられることになったのである」（『島根県口碑伝説集』）。

式内社櫛代賀姫神社については、くしろひこ、くしろひめが美濃郡鎌手の大浜に上陸したとの伝えがある。「此の地でくしろひことくしろひめと云う、男女の神が会合した時、めをじ（虹の方言）が現れたと云う、男島（彦島）女島（姫島）の神話が、今日行われて居る」（矢冨熊一郎『益田町史』上、一九五二）。

地名に久城（美濃郡）や久代（那賀郡）があり、式内社にも櫛代賀姫命神社（美濃郡）・櫛色天蘿箇彦命神社（那賀郡）があることから、クシロの女神男神を奉ずる人々がいたことはたしかであろう。

十一月、陰暦十月の日本海が暗くなり荒れ始める頃に、「龍蛇」とされるセグロウミヘビが海岸に上がる。村人はこれを神の使いとして、採って出雲大社や佐太神社に奉納することが知られているが、石見でもその慣習がある。

大浦では、「古来十月中に、形蛇の如き一尺から二尺余の竜蛇一、二匹が大明神の境内唐浦へ上がり、浦人たちは新羅国からの使いとして、生不生にかかわらず、そのまま新羅大明神の御前に奉納している」と文政年間の代官所への報告にある(上田常一『竜蛇さんのすべて』、園山書店、一九七九:四〇)。新羅神社の末社龍蛇社について、「社伝に毎年十月の頃磯辺に来るを採て折敷に載て奉る蛇の如きものなり亦此海に長二寸はかりの頭は馬に似体は蛇に似たる虫あり是を俗に海馬と云ふ新羅明神此海馬に乗り来り給ふとも云ふ」(『石見国神社記』)。馬路の乙見神社でも、「出雲大社や佐太神社のように、南方から季節風に乗って来る龍蛇が琴ケ浜に上り、これを奉納する信仰があって、今も本殿内に数多く保存されている」(『仁摩町誌』)。

大元神楽「佐陀」は佐陀神社の由緒を説くものだが、その曲は「其時龍神五色の龍蛇をさゝげ上れば太神是を受け取り玉ひ宝の御蔵へ納め玉へば忽ち龍神立ち来る波を蹴立て蹴立て海中にこそ入り玉ふ」と舞い納める。

これもまた渡り来る神(の使い)である。総じて、海の彼方(それは往々半島である)と出雲世界とつながり深いのが石見の立ち位置だと言えよう。

明治以来島根県として合同させられた出雲と石見は、言語が違い(ズーズー弁の出雲に対し石見は広島に近い方言)、宗教が違い(石見は門徒、出雲は禅宗が多い)、歴史が違い(石見は安芸や長門の勢力に近く、出雲とは道を異にしていた)、つまりは「民族」が違うのだが(「国民性」も当然違う)、神話を見るならば明らかに出雲神話圏に属する。

石見の神話なら、石見神楽のことも言わなければならない。今も眼前に神話を見せているのだから。この地方においてその人気たるやすさまじく、人口減少の止まらぬこの地方で神楽社中は一三〇以上あり、今も増えている。

「神楽」の名のごとく、もとは神職が行なうものであった。例祭の神楽は直面の七座舞、「太鼓口」「潮祓」「御座」「手草」「四方堅」「剣舞」「鈴合せ」などの儀式舞で、式年の神楽は五年とか七年・十三年ごとに行なわれ、大掛かりにさまざまな娯楽色の強い能舞が行われた。神憑りして神の託宣を聴くことも式年神楽の重要な行事であった(山路興造「石見神楽の誕生」、『民俗芸能研究』五六、二〇一四)。

能舞の演目は記紀神話の「岩戸」や「大蛇」など、中世説話「天神」「黒塚」などである。現在神楽台本としてあまねく普及している『校訂石見神楽台本』(篠原實編、日下義明商店、一九七二)には、八調子神楽として「塩祓」「真榊」「帯舞」「神迎え」「八幡」「神祇太鼓」「かっ鼓」「切目」「道がへし」「四神」「四剣」「鹿島」「天蓋」「塵輪」「八十神」「天神」「黒塚」「鍾馗」「貴船」「日本武尊」「岩戸」「恵比寿」「大蛇」「五穀種元」「頼政」「八衢」「熊襲」「武の内」「五神」を収める。また古風な六調子神楽（大元神楽はこちらに属する）として「潮祓い」「磐戸」「八衢」「刹面」「鍾馗」「御座」「皇后」「貴船」「恵美寿」「八岐」「天神」「風宮」「佐陀」「関山」「弓八幡」「五龍王」「山の大王」を載せる。

その人気曲は鬼退治もので、異国から襲来する悪鬼から国を守る「最前線」心情がみなぎっているようだ。鬼どもの名乗っていわく、「おお我はこれ、四海万国を押領なす、大悪鬼とはわが事なり。唐天竺は申すに及ばず、アフリカ（！）、韃靼、ヨーロッパ（！）、スマンダラ、三分才の塔の棟までも、わが足の當らざる處なし。我に敵たふものならば、足の爪先に引つかけて中天に蹴上げ、落ちる處を三十二枚の牙にかけ、けつしめつしとかみ砕かいでおくものか」（道がへし）、「おお我はこれ、今度日本征伐の大将軍、じんりんとは我が事なり」（塵輪）、「オヽ我は是蒙古の国の大王也然るに此度汝等が住む大日本の神国を一戦に攻崩し我国の奴とせん為甲冑兵船を催し只今是まで来たり」（風宮）、「おお我はこれ、中天竺他化自在天の主、第六天の悪魔王とは我が事なり」（八幡）、「おお我はこれ、春の疫癘夏瘧癘、秋の血腹に冬咳病、一切病の司、疫神とは我が事なり」（鍾馗）、等々。

しかし一方、鬼面であっても大元神楽の「山の大王」は悪鬼でなく、奥三河の花祭に出る鬼のような、恐ろしげなれども恵みをもたらす山の主である。供応を受ける大王は山言葉を話し、それがわからぬノットジと滑稽なやりとりをする。

祝詞司(のっとじ)「山の大王さん、大変ご苦労さまでございました。わしゃ言葉が解りませんから、どうぞ大和言葉でおっしゃって下さい。」
大王「あいあい。祝詞司、さんげ、さんげ。」
祝詞司「大王さん、さんげさんげとおっしゃっても、今子供を産めというても産むものはいませんが、後家くらいではどうでしょうか。」
大王「いやいや、さんげとはお前のいう子供を産むことではない。神明から申して、かのみそぎのことじゃ。」
祝詞司「みそぎと言うのは。」
大王「神明から申して、かの祓いのことじゃ。」
祝詞司「高天の原に神づまります、神漏岐漏美《かむろぎかむろみ》の命以ちて、皇御祖《すめみおや》いざなぎ命、筑紫の日向の橘の小門の阿波岐原《あはぎ》、禊ぎ祓いし時に成りませる祓戸の大神たち、もろもろの禍事、罪汚れあらむをば、祓い清め給へと申す事の由を天津神国津神八百万の神たち、共に聞こしめせとかしこみかしこみ申す。」

（中略）

大王「今度は、またあり、またあり。」

祝詞司「又あんなことを言われるが、またありまたあり言うて、人の股を借りてくる訳には行きませんが、私の股ではどうでしょうか。」

大王「人の股の事ではない。神明から申して肴の事じゃ。」

祝詞司が肴を捧げるとき、長短二本の箸を用いる。

大王「これこれ、祝詞司、上箸が長く、下箸が短いのは一体どうした訳じゃ。」

祝詞司「上箸の長いのは悪魔災難をずっと押しのけるためです。下箸の短いのは、福徳円満をずらずらずらずらと引っ込むためです。」

大王「ふん、なるほど、もう一回やり直せ。」

やり直し。次いで神饌を下げる。

大王「うん、なかなかよく出来た。大王は一足先に帰るから、祝詞司も早く帰って来い。」

大王入り、祝詞司、舞い収めて入る。

この「山の大王」のほか、「五穀種元（伎𧮾）」「切目」（熊野の切目王子伝承より）「五龍王（五神）」などはほかの能舞と趣を異にし、より深く民衆の思念にからまったものを感じさせる。

「五穀種元」は次のようである。

天熊「自らは天照大御神に仕へ奉る天熊の大人といへる神なり。ここに天照大御神の御言以ちて、この豊葦原の瑞穂の国に保食の神といふ神ありと聞こし召したまひ、御弟須佐之男の命を遣はして見しめたまふ。故須佐之男の命、その御御言を畏こみまして、保食の神の御許に至りたまひ、食しものを乞ひたまへば、保食の神、種々のためつものを、百取りの机につくり供へて奉りたまふ。時に須佐之男の命、その御仕業を覗ひ、怒り面火照りして、汚きものをもて我に養ふぞと宣りたまひ、即ち保食の神を打ち殺して返り言申したまふ。時に天照大御神、重ねて自らに詔らして、保食の神の御許に至り、その御有様を伺はしめたまふに、保食の神まことに既に御まかりたまひ、その御体に生れる種々の種つもの、又蠶、桑の木、牛馬に至るまで、悉く取り持ちて、天照大御神に捧げまつりしかば、大御神いたく喜びまして、この物どもは顯しき靑人草の、朝夕に食いて生くべきものぞと宣り給ひ、即ち粟、稗、麥、豆を畑つ物と定め、稲を御田つものと定めたまひて、天の村君をして天の狭田長田に植え廣めさせとよとの詔を受け、只今村君が許にと罷りて、大御言を伝へばやと存じ候。」
天熊「急ぎ候ほどに天の村君が許に着きて候。いかに天の村君、御出で候へ。」
村君「自らを召され候は、いかなる詔にて候や。」
天熊「自らは天照大御神に仕へ奉る天熊の大人といへる神なり。ここに大御神の御言もちて、汝天の村君に、この種々の種つ物、又斎鋤斎鍬を授けて、田畑を開かしめ、この種つ物を植へ廣めさせとよの大御言なり。汝この斎鋤斎鍬を持ち候へ。」
村君「畏まつて候。」
天熊「其の斎鋤斎鍬を持ちて狭田長田を開き、この種々の種つ物を植へ廣め候へ。」
村君「こは有難き詔にて候。然らば人民を率いて牛馬を以て力を助けしめ、斎鋤斎鍬をもて、水ある處を田となして稲を植え、水なき處を畑となして麥、粟、稗、豆を播き植え、又天の香具山に桑を植えて蠶を飼はしめ、事終へて後、重ねて注進仕るべく候。」
天熊「然らばこの由奏聞に及ぶべく候。」

（後略）

この曲は「伎禰（杵）」ともいい、杵と臼は男根と女陰のシンボルだから、エロチックな類感呪術的意味も当然あるだろう。

「五龍王」は五行説の劇化である。「凡天地万物ハ皆陰陽五行自然のなす所にして、四季の巡還万木万草の生枯、春夏秋冬四土用の功用迄皆是造化の義なれば、人として目下其形を見事能はす。然共形をさして見ざる物ハ其功の大ひ成りといへ共、其徳に感伝する事おのづから薄し。是によつて暫く造化に形を設け、人体に移して是を顕ハす所の舞也」と「御神楽之巻起源鈔」は説いている（『邑智郡大元神楽』）。

父王の所領相続の争いの形で、春夏秋冬・東西南北・木火金水を司ることとなった四人の王子に対し、末子（父王の死後生まれたともいう）五郎の王子が自分の取り分を要求して戦いに至るも、老翁が裁定し五郎（ここでは埴安大王）は四人から春夏秋冬それぞれの土用を分けて取らせ、中央にあり土徳を表わすこととなる、という筋だ。陰陽道・修験道の徒の手になり伝え広めたものである。大曲で、夜通し行われる神楽のしまいごろに演じられる。

第一王子春青大王「そもそも自らは国常立王第一の皇子、春青大王とは自らが事なり。さて我が父国常立王と申し奉るは、天地とともに神明現はれたまふが故に、造化神、偶生神と称し奉る。これを神代七代とは申すなり。然るに開闢の初め、国土成就すと雖も、万民皆山野に住居し、君臣父子の道も疎かにして、士農工商の別けもなく、森羅万象生ひ茂り、草木時を定めず、国土穏かならざらば、国常立王には詔を下したまふ。さて第一の王子、春青大王には、東方甲乙の群を所在として、春分正中を司どり、造化をなして生育を専らとし、時候寒暖なく、万物を生成し国家を利益せよとなり。即ち詠み歌に曰く、『久方の天の香久山神代より霞みこめつつ春は来にけり』さて夏赤大王の御所存はいかに。」

続いて第二王子夏赤大王・第三王子秋白大王・第四王子冬黒大王が名乗り、次いで末子埴安大王が現われ自らの所領を要求するが、拒否され戦いとなる。そこへ所務分けのおじい（塩土の翁とも）が出て来て仲裁し、裁定をする。

所務分けのおぢい「各五神の大御神たち、何を争ひたまふぞや。静まりたまへ。」

五神「我々領地を争ふ合戦の場に、静まれなんどとは、天が下に覚えなし。」

おぢい「各五神たち、勝負あっては叶ふまじ。今一天四海万民の憂ひ、いかゞせん。各々五神たち、抜いたる太刀は鞘に納め、はいだる弓は袋に納め、暫く合戦をやめて、某が奏聞の趣を聞し召され候へ。」

おぢい「さて上天高天の原、日光殿月光殿に於て某を召され汝かしこ根の命、各々五神たちに命令を下したまへと宣りたまふ。それ未生已生の一太極を立て、太占を以て広大無辺の理を諭したまふなり。一徳の水、二義の火、三性の金、四節の木、五季の土と五方に分け、東西南北中央を立て、これを後天と名づく。これまでの水火木金は先天にして争扞不利の所在なり。今より所在を分鎮し、所領を分けて参らするなり。」

五神「畏まって候。」

おぢい「さて第一の王子春青大王には、東方甲乙の郡を所在として、海八万八千町、川八万八千丁、海山川三口合して二十六万四千町、春三月九十日を知行なされたく思し召され候処、この中を十八日残しおき、七十二日を所領となされ、青き御幣をば寅卯を境に立ておき、これを知行となさるべく候。」

春青「畏まって候。」

おぢい「残しおく十八日をば、三月大土用と除き、これを埴安大王に参らるなり。」

以下、「第二王子夏赤大王には、南方丙丁の郡を所在として、海山川三口合して二十六万四千町、夏三月九十日を知行なされたく思し召され候処、この中を十八日残しおき、七十二日を所領となされ、赤き御幣をば巳午を境に立ておき、これを知行」、「第三王子秋白大王には、西方庚辛の郡を所在として、海山川三口合して二十六万四千町、秋三月九十日を知行なされたく思し召され候処、この中を十八日残しおき、七十二日を所領となされ、白き御幣をば申酉を境に立ておき、これを知行」、「第四の王子冬黒大王には、北方壬癸の郡を所在として、海山川三口合して二十六万四千町、冬三月九十日を知行なされたく思し召され候処、この中を十八日残しおき、七十二日を所領となされ、黒き御幣をば、亥子を境に立ておき、これを知行」とし、それぞれから取り分けた十八日を土用として五郎の王子に与える。

おじい「さて中央五郎の王子埴安大王には、中央戊己の郡を所在として、海八万八千町。川八万八千丁、海山川三口合して二十六万四千町、春の土用十八日、夏の土用十八日、秋の土用十八日、冬の土用十八日、四土用集むれば、これも七十二日にて候へば、黄色なる御幣を丑辰未戌を境に立ておき、これを知行となさるべく候。」

五神「畏まって候。」

と納めて、舞となる。

神楽には五穀豊かに鎮まり栄える世の希求が一貫していて、そのためには争闘も辞さない。簡単に言えば「福は内、鬼は外」となってしまうけれども。

書物に記された標本の如き神話と異なり、神楽は、祭りのさまざまな行ないや語りと同じく、目に見え耳に聞こえる形で土地に根差した人々の世界観を示し、祭りごとにそれを更新し強化する生きた「神話世界」であると言ってよかろう。

主な文献としては、
石田春律『角鄣経石見八重葎』(一八一七)、石見地方未刊行資料刊行会、一九九九
藤井宗雄『石見国神社記』(一八八七)、山崎亮翻刻、『山陰研究』二・三、二〇〇九・二〇一〇、および山崎亮・錦織稔之翻刻、『古代文化研究』二四、二〇一六以降
『島根県口碑伝説集』、歴史図書社、一九七九(原著：島根県教育会、一九二七)
『石見六郡社寺誌』、小林俊二修訂編纂、石見地方未刊行資料刊行会、二〇〇〇(原著：一九三三)

あとがき

司馬遼太郎は浜田城跡に建つ「浜田藩追懐の碑」に、「石見国は、山多く、岩骨が海にちらばり、岩根に白波がたぎっている。／石見人はよく自然に耐え、頼るべきは、おのれの剛毅と素朴と、たがいに対する信のみという暮らしをつづけてきた。／石見人は誇りたかく、その誇るべき根拠は、ただ石見人であることなのである」と書いている。歴史上大した事件もなく大して人物も出していないこの土地に、歴史小説家として大して興味があったとも思えないのに、あまりに的確な表現に思わず唸ってしまう。まさにそういうところであり、そういう人々である。そんな石見について本をまとめることができたのはうれしい。

新型コロナ流行が交通を遮断し、外出を制限したため、出国できなくなって蟄居を余儀なくされる生活が続いた。ちょうどその時期に父母とも（コロナではないが）ぐあいを悪くして入院したのだが、きびしい接触制限下で見舞いもままならず逝かせてしまったのは無念だった。

そういうコロナ禍の副産物として、この本ができたと言える。故郷に居続けなければならないので、故郷のことを調べて一書をなすことができたわけだ。悪いことは悪いことばかりで終わりはしない。この本がよいものかどうか、それは読んだ人の決めることだが、少なくともコロナよりはいいだろうと思う（たぶん）。結果としてこういうものを書かせてくれた亡父母の霊前にこれを供える。

平賀《ひらが》 英一郎《えいいちろう》

早稲田大学文学部卒、ハンガリーでPh.D。
著書に『吸血鬼伝承』(中公新書)、『温泉津誌』(報光社)、
『留学のいろいろ』(銀河書籍)。

石見地方の神と人

2024年7月1日　発行

著　　者　平賀 英一郎
発 行 者　原　 伸雄
発 行 所　株式会社 報 光 社
印刷・製本　株式会社 報 光 社　出雲市平田町993
https://www.hokosya.co.jp

ISBN 978-4-89323-040-9　Printed in Japan